Collection dirigée
par Hélène Potelet et Georges Décote

Les textes fondateurs 6ᵉ

classiques Hatier

La Bible
(Extraits tirés de la Bible de Jérusalem, trad. de l'École biblique
et archéologique française de Jérusalem, © éd. du Cerf, 1998)

L'Odyssée
(trad. de V. Bérard, éd. Armand Colin)

L'Énéide
(trad. de A. Bellesort, éd. Les Belles Lettres)

Les Métamorphoses
(trad. d'A. Videau, éd. Hatier)

© Hatier
Paris 2009
ISBN 978-2-218-93643-2
ISBN 0184 0851

Fabienne Serin-Moyal
agrégée de Lettres classiques

Sommaire

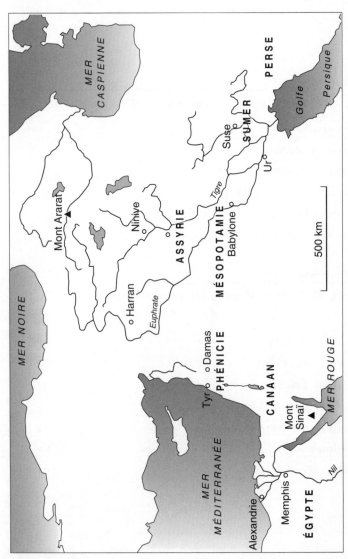

Les lieux de la Bible.

La Bible

Introduction

La Bible

Un livre…

Même si l'on n'en connaît pas le contenu, il est rare de n'avoir jamais entendu parler de la Bible. Traduit dans toutes les langues, c'est le livre le plus célèbre du monde !

La Bible est le livre sacré de deux grandes religions monothéistes* : le judaïsme*, religion des juifs, et le christianisme*, religion des chrétiens (catholiques, protestants, orthodoxes). L'islam est la religion des musulmans, qui se réfèrent au Coran*, livre dans lequel un certain nombre d'événements, de personnages et de principes sont communs avec ceux de la Bible.

… ou des livres ?

La Bible porte bien son nom ! Il vient du grec *ta biblia* qui signifie « les livres ». En effet, la Bible n'est pas l'œuvre d'un écrivain unique mais d'une multitude d'auteurs, connus ou anonymes. Les textes qui la composent appartiennent à des genres très différents : chroniques historiques, récits, contes, poèmes, proverbes.

La Bible des chrétiens* est toutefois plus volumineuse que celle des juifs* car les chrétiens y ont ajouté les textes concernant Jésus, qu'ils reconnaissent, à la différence des juifs, comme le Messie, l'envoyé de Dieu annoncé par les prophètes.

C'est pourquoi les chrétiens désignent la Bible juive sous le nom d'Ancien Testament, alors que les récits de la vie de Jésus et de ses disciples* sont réunis sous le nom de Nouveau Testament.

Le mot « Testament » signifie « alliance ». Ainsi, pour les chrétiens, l'Ancien Testament est la première alliance de Dieu avec le peuple d'Israël et le Nouveau Testament constitue la nouvelle alliance de Dieu avec tous les hommes, par l'intermédiaire de Jésus-Christ.

---

* Les noms suivis d'un astérisque renvoient au lexique de la Bible, page 48.

Les textes de la Bible ont été écrits dans différentes langues : en hébreu, en araméen* et en grec pour l'Ancien Testament, en grec pour le Nouveau Testament. Chacun des livres qui composent la Bible est divisé en chapitres, eux-mêmes divisés en versets. Ainsi, par exemple, « *Livre de la Genèse*, I, 1-20 » signifie : chapitre I, versets 1 à 20 dans le *Livre de la Genèse*.

Les lieux et le temps de l'écriture

La Bible est née de la tradition orale. Avant d'avoir la forme qu'on lui connaît, elle a d'abord été un ensemble de récits que se transmettaient de bouche à oreille, de génération en génération, des tribus semi-nomades qui poussaient leurs troupeaux dans l'est du bassin méditerranéen, de l'Égypte à la Perse en passant par la Mésopotamie, la Syrie et la Palestine (voir la carte p. 4). On retrouve, dans le texte, les déserts brûlants, les montagnes arides, les fraîches vallées de grenadiers et de palmiers qu'ont parcourus les premiers auteurs, et ces collines de vignes et d'oliviers qui existent dans tous les récits du monde méditerranéen.

Rouleau de psaumes, trouvé près de la mer Morte, rédigé en hébreu calligraphique (Ier siècle av. J.-C.).

C'est au cœur de ces paysages, au nord-ouest de la mer Morte, dans les grottes de Qumrân, qu'ont été découverts des rouleaux enfermés dans des jarres et des fragments de textes datant du Ier siècle avant J.-C. : ce sont les plus vieux manuscrits de la Bible connus à ce jour. Mais la composition de l'ouvrage est beaucoup plus ancienne. L'ensemble a été peu à peu fixé par écrit, avec des ajouts et des modifications, entre le Xe et le Ier siècle av. J.-C., puis complété au Ier siècle de notre ère : plus de 1 000 ans séparent certains passages de la Bible !

La Bible, le témoignage d'une foi

La Bible prend racine dans les profondeurs de l'histoire. Comme l'attestent les découvertes archéologiques, elle révèle les conditions de vie des peuples du Proche-Orient ancien (Hébreux, Babyloniens, Assyriens, etc.). Cependant, la Bible ne peut en aucun cas être lue comme un livre historique : les faits racontés veulent avant tout témoigner de la foi d'un peuple, le peuple des Hébreux, croyant en un Dieu unique, qui les a choisis (d'où leur nom de « peuple élu ») pour transmettre à l'humanité son message divin.

La Bible, un texte fondateur

La Bible puise à des sources mythiques très anciennes, dont on trouve la trace dans ses pages et dans les autres textes fondateurs de la civilisation occidentale, tels que l'*Odyssée* d'Homère, l'*Énéide* de Virgile et les *Métamorphoses* d'Ovide. À partir de ce fonds commun, ces livres – si différents soient-ils – ont nourri la réflexion et l'imagination des peuples d'Occident ; ils ont constitué un patrimoine extraordinaire, source d'inspiration pour de nombreux artistes, poètes et écrivains. C'est pour cela que l'on peut dire que la Bible appartient à tous les hommes, croyants ou athées*.

La Création

Le premier livre de l'Ancien Testament (voir p. 6) s'appelle la Genèse. Ce mot vient du grec genesis, qui signifie le commencement. En effet, le texte raconte les débuts de l'univers et de la vie sur la terre.

Premier récit de la création

1 Au commencement, Dieu créa le ciel et la terre. Or la terre était vide et vague, les ténèbres couvraient l'abîme, un vent de Dieu tournoyait sur les eaux.

Dieu dit : « Que la lumière soit » et la lumière fut. Dieu vit
5 que la lumière était bonne, et Dieu sépara la lumière et les ténèbres. Dieu appela la lumière « jour » et les ténèbres « nuit ». Il y eut un soir et il y eut un matin : premier jour.

Dieu dit : « Qu'il y ait un firmament[1] au milieu des eaux et qu'il sépare les eaux d'avec les eaux » et il en fut ainsi. Dieu
10 fit le firmament, qui sépara les eaux qui sont sous le firmament d'avec les eaux qui sont au-dessus du firmament, et Dieu appela le firmament « ciel ». Il y eut un soir et il y eut un matin : deuxième jour.

Dieu dit : « Que les eaux qui sont sous le ciel s'amassent en
15 une seule masse et qu'apparaisse le continent » et il en fut ainsi. Dieu appela le continent « terre » et la masse des eaux « mers », et Dieu vit que cela était bon.

Dieu dit : « Que la terre verdisse de verdure : des herbes portant semence et des arbres fruitiers donnant sur la terre
20 selon leur espèce des fruits contenant leur semence » et il en fut ainsi. La terre produisit de la verdure : des herbes portant

| **1.** Le ciel, pour les Anciens, était une voûte solide.

semence selon leur espèce, des arbres donnant selon leur espèce des fruits contenant leur semence, et Dieu vit que cela était bon. Il y eut un soir et il y eut un matin : troisième jour.

25   Dieu dit : « Qu'il y ait des luminaires au firmament du ciel pour séparer le jour et la nuit ; qu'ils servent de signes, tant pour les fêtes que pour les jours et les années ; qu'ils soient des luminaires au firmament du ciel pour éclairer la terre » et il en fut ainsi. Dieu fit les deux luminaires majeurs : le grand

30   luminaire comme puissance du jour et le petit luminaire comme puissance de la nuit, et les étoiles. Dieu les plaça au firmament du ciel pour éclairer la terre, pour commander au jour et à la nuit, pour séparer la lumière et les ténèbres, et Dieu vit que cela était bon. Il y eut un soir et il y eut un matin :

35   quatrième jour.

Dieu dit : « Que les eaux grouillent d'un grouillement d'êtres vivants et que des oiseaux volent au-dessus de la terre contre le firmament du ciel » et il en fut ainsi. Dieu créa les grands serpents de mer et tous les êtres vivants qui glissent et qui

40   grouillent dans les eaux selon leur espèce, et toute la gent ailée selon son espèce, et Dieu vit que cela était bon. Dieu les bénit[2] et dit : « Soyez féconds, multipliez, emplissez l'eau des mers, et que les oiseaux multiplient sur la terre. » Il y eut un soir et il y eut un matin : cinquième jour.

45   Dieu dit : « Que la terre produise des êtres vivants selon leur espèce : bestiaux, bestioles, bêtes sauvages selon leur espèce » et il en fut ainsi. Dieu fit les bêtes sauvages selon leur espèce, les bestiaux selon leur espèce et toutes les bestioles du sol selon leur espèce, et Dieu vit que cela était bon.

50   Dieu dit : « Faisons l'homme à notre image, comme notre ressemblance, et qu'ils[3] dominent sur les poissons de la mer,

---

2. Dieu assure aux êtres vivants sa bienveillance.
3. L'ensemble des hommes.

les oiseaux du ciel, les bestiaux, toutes les bêtes sauvages et toutes les bestioles qui rampent sur la terre. »

Dieu créa l'homme à son image,
55 à l'image de Dieu il le créa,
homme et femme il les créa.

Dieu les bénit et leur dit : « Soyez féconds, multipliez, emplissez la terre et soumettez-la ; dominez sur les poissons de la mer, les oiseaux du ciel et tous les animaux qui rampent
60 sur la terre. »
Dieu dit : « Je vous donne toutes les herbes portant semence, qui sont sur toute la surface de la terre, et tous les arbres qui ont des fruits portant semence : ce sera votre nourriture. À toutes les bêtes sauvages, à tous les oiseaux du ciel, à tout ce
65 qui rampe sur la terre et qui est animé de vie, je donne pour nourriture toute la verdure des plantes » et il en fut ainsi. Dieu vit tout ce qu'il avait fait : cela était très bon. Il y eut un soir et il y eut un matin : sixième jour.

2 Ainsi furent achevés le ciel et la terre, avec toute leur
70   armée. Dieu conclut au septième jour l'ouvrage qu'il avait fait et, au septième jour, il chôma, après tout l'ouvrage qu'il avait fait. Dieu bénit le septième jour et le sanctifia[4], car il avait chômé après tout son ouvrage de création.
Telle fut l'histoire du ciel et de la terre, quand ils furent créés.

La suite du récit précise la façon dont l'homme et la femme, Adam et Ève, sont créés et la place privilégiée qui leur est réservée dans le « jardin d'Éden[5] », à condition de respecter les règles fixées par Dieu.

4. Rendit sacré.
5. Lieu sans réalité géographique, synonyme de paradis.

L'épreuve de la liberté. Le paradis

75   [...] Alors Yahvé[6] Dieu modela l'homme avec la glaise du sol, il insuffla[7] dans ses narines une haleine de vie et l'homme devint un être vivant.

Yahvé Dieu planta un jardin en Éden, à l'orient, et il y mit l'homme qu'il avait modelé. Yahvé Dieu fit pousser du sol
80   toute espèce d'arbres séduisants à voir et bons à manger, et l'arbre de vie au milieu du jardin, et l'arbre de la connaissance du bien et du mal. [...]

Yahvé Dieu prit l'homme et l'établit dans le jardin d'Éden pour le cultiver et le garder. Et Yahvé Dieu fit à l'homme ce
85   commandement : « Tu peux manger de tous les arbres du jardin. Mais de l'arbre de la connaissance du bien et du mal tu ne mangeras pas, car, le jour où tu en mangeras, tu deviendras passible de mort. »

Yahvé Dieu dit : « Il n'est pas bon que l'homme soit seul. Il
90   faut que je lui fasse une aide qui lui soit assortie. » [...]

Alors Yahvé Dieu fit tomber une torpeur sur l'homme, qui s'endormit. Il prit une de ses côtes et referma la chair à sa place. Puis, de la côte qu'il avait tirée de l'homme, Yahvé Dieu façonna une femme et l'amena à l'homme.

95   Alors celui-ci s'écria :

« Pour le coup, c'est l'os de mes os
et la chair de ma chair !
Celle-ci sera appelée "femme",
car elle fut tirée de l'homme, celle-ci ! »

100   C'est pourquoi l'homme quitte son père et sa mère et s'attache à sa femme, et ils deviennent une seule chair.

Or tous deux étaient nus, l'homme et sa femme, et ils n'avaient pas honte l'un devant l'autre.

---

6. Transcription des quatre consonnes hébraïques IHVH qui représentent le nom de Dieu, que l'on ne doit pas prononcer. On peut remplacer ce mot par « le Seigneur » ou « l'Éternel ».
7. Fit pénétrer en soufflant.

La chute

3 Le serpent était le plus rusé de tous les animaux des champs que Yahvé Dieu avait faits. Il dit à la femme : « Alors, Dieu a dit : Vous ne mangerez pas de tous les arbres du jardin ? » La femme répondit au serpent : « Nous pouvons manger du fruit des arbres du jardin. Mais du fruit de l'arbre qui est au milieu du jardin, Dieu a dit : Vous n'en mangerez pas, vous n'y toucherez pas, sous peine de mort. » Le serpent répliqua à la femme : « Pas du tout ! Vous ne mourrez pas ! Mais Dieu sait que, le jour où vous en mangerez, vos yeux s'ouvriront et vous serez comme des dieux, qui connaissent le bien et le mal. » La femme vit que l'arbre était bon à manger et séduisant à voir, et qu'il était, cet arbre, désirable pour acquérir le discernement[8]. Elle prit de son fruit et mangea. Elle en donna aussi à son mari, qui était avec elle, et il mangea. Alors leurs yeux à tous deux s'ouvrirent et ils connurent qu'ils étaient nus ; ils cousirent des feuilles de figuier et se firent des pagnes.

La Genèse, 1, 1-31 ; 2, 1-4, 7-9, 15-18, 21-25 ; 3, 1-7.

Dieu punit cruellement le couple pour sa désobéissance ; il chasse Adam et Ève du paradis et les maudit : désormais ils connaîtront la souffrance, les travaux pénibles et la mort.

| **8.** Capacité de juger et de comprendre.

Questions

Repérer et analyser

Un récit de création

La création

1 « Au commencement », avant la création, existe une sorte de nuit confuse, de mélange d'éléments, qu'on appelle le chaos. Quels mots décrivent le chaos (l. 1 à 3) ?

2 Résumez les étapes de la création. Combien de jours dure-t-elle ?

3 a. Par quel nom est désignée la végétation (l. 18 à 24) ?
b. Qu'est-ce que le grand et le petit luminaire (l. 29-30) ?
c. Expliquez l'expression « la gent ailée » (l. 40).

4 Que fait Dieu le septième jour ?

5 Quelle capacité Dieu donne-t-il aux plantes et aux êtres vivants : « des arbres fruitiers donnant sur la terre selon leur espèce des fruits contenant leur semence » (l. 19) ; « soyez féconds, multipliez » (l. 42) ?

6 Quelle est la nourriture de l'homme et des animaux (l. 61 à 68) ?

7 À partir de quoi Dieu crée-t-il l'homme ? et la femme ?

Le paradis

8 Relevez les mots et expressions qui décrivent le paradis.

9 Quel animal vient perturber la tranquillité du paradis ? Quel trait de caractère le distingue des autres animaux ?

Le surnaturel

On appelle surnaturel ce qui échappe aux lois de la nature et qui ne peut s'expliquer par des connaissances naturelles.

10 En quoi l'apparition de Dieu est-elle surnaturelle ?
Pour répondre, relevez les expressions qui indiquent les paroles de Dieu, ses actions, l'accomplissement de sa volonté et le jugement qu'il porte sur sa création.

Dieu et les hommes

11 L'homme est plus proche de Dieu que les autres créatures : montrez-le (l. 50 à 56, l. 75 à 77). Quel privilège Dieu accorde-t-il à l'homme (l. 57 à 60) ?

12 Quels sont les droits, les devoirs et les interdictions donnés à l'homme par Dieu (l. 83 à 88) ?

13 Qu'arrivera-t-il à l'homme s'il désobéit ? Relevez la réponse de Dieu puis celle du serpent.

14 Quelles sont les trois raisons qui poussent la femme à céder à la tentation ?

La poésie de la Bible : le rythme

> Les mêmes expressions, régulièrement répétées, rythment le texte biblique et lui donnent un caractère poétique. C'est aussi un moyen mnémotechnique (qui aide à mémoriser) dans une civilisation de l'oral.

15 Relevez les mots et expressions répétés à intervalles réguliers. Quelle phrase revient très souvent en fin de paragraphe ? Quel est l'effet produit ?

S'exprimer

16 Vous avez des pouvoirs divins qui vous permettent de refaire le monde. En sept jours, vous procédez à sept transformations. Racontez.

Se documenter

Le récit de la création

Il s'appuie sur de très anciens textes appartenant à la mythologie. Dans le Coran, le livre saint des musulmans, parole d'Allah (Dieu) révélée par Mahomet, on retrouve la même inspiration que dans la Bible pour raconter les débuts du monde :

Sourate VII (54) : « Votre Seigneur est Dieu : il a créé les cieux et la terre en six jours, puis il s'est assis en majesté sur le Trône. »

17 Recherchez des récits de la création du monde ou de l'homme proposés par d'autres civilisations. Présentez-les oralement à la classe.

18 La Genèse n'est pas un texte scientifique. Quelles explications la science apporte-t-elle sur la formation de l'univers et l'apparition de la vie ?

Le nombre sept

Dans les sociétés antiques, de l'Égypte à la Mésopotamie, l'astronomie tenait une grande place. L'observation du ciel avait permis d'organiser le temps. Les premiers calendriers reposaient sur le mois lunaire de vingt-huit jours et ce mois était découpé en quatre, selon les quatre phases de la lune ; on aboutissait ainsi à une suite de sept jours : la semaine (*septimana*). Le nombre sept était donc indispensable pour rythmer le temps. À la même époque fort lointaine, on s'avisa que les astres que l'on pouvait voir bouger dans le ciel à l'œil nu étaient au nombre de sept : le Soleil, la Lune, Mars, Mercure, Jupiter, Vénus et Saturne. C'était un hasard, mais on associa ces « astres errants » aux sept jours de la semaine qui en tirèrent leurs noms, et on considéra le nombre sept comme un nombre sacré sur lequel reposait l'harmonie de l'espace et du temps, comme un nombre mythique autour duquel semblait s'organiser l'univers.

À partir de là le nombre sept fut considéré comme un nombre magique, un nombre parfait. Il n'est donc pas étonnant qu'on le rencontre souvent dans la Bible : la Création se fait en sept jours ; le chandelier sacré du Temple de Jérusalem (voir p. 35) a sept branches et le dernier livre du Nouveau Testament, l'*Apocalypse**, présente des visions qui vont toutes par sept : sept villes, sept anges, sept trompettes, etc.

19 On trouve encore aujourd'hui le nombre sept dans de nombreuses expressions et jusque dans les contes de fées : citez des exemples.

20 Pouvez-vous retrouver les sept merveilles du monde ? Existent-elles encore aujourd'hui ?

21 Qu'appelle-t-on les sept péchés capitaux ?

Enquêter

22 « La terre était vide et vague » (l. 2). Les deux adjectifs contenus dans cette phrase sont la traduction de deux mots hébreux, *tohû* et *bohû*, qui ont donné un nom composé : lequel ? Quel est son sens ?

23 Qu'est-ce que « la pomme d'Adam » ?

24 Cherchez dans un dictionnaire l'adjectif formé à partir du mot « Éden ». Trouvez un synonyme plus courant.

Texte 2

Le Déluge

Les descendants d'Adam et Ève peuplent la Terre mais se conduisent de plus en plus mal. Décidé à y mettre un terme, Dieu annonce à Noé, le seul homme juste, son projet.

Préparatifs du déluge

6 [...] Dieu dit à Noé : « La fin de toute chair est arrivée, je l'ai décidé, car la terre est pleine de violence à cause des hommes et je vais les faire disparaître de la terre. Fais-toi une arche[1] en bois résineux, tu la feras en roseaux et tu l'en-
5 duiras de bitume[2] en dedans et en dehors. Voici comment tu la feras : trois cents coudées[3] pour la longueur de l'arche, cinquante coudées pour sa largeur, trente coudées pour sa hauteur. Tu feras à l'arche un toit et tu l'achèveras une coudée plus haut, tu placeras l'entrée de l'arche sur le côté et tu feras
10 un premier, un second et un troisième étages.

« Pour moi, je vais amener le déluge, les eaux, sur la terre, pour exterminer de dessous le ciel toute chair ayant souffle de vie : tout ce qui est sur la terre doit périr. Mais j'établirai mon alliance avec toi et tu entreras dans l'arche, toi et tes fils, ta
15 femme et les femmes de tes fils avec toi. De tout ce qui vit, de tout ce qui est chair, tu feras entrer dans l'arche deux de chaque espèce pour les garder en vie avec toi ; qu'il y ait un mâle et une femelle. De chaque espèce d'oiseaux, de chaque espèce de bestiaux, de chaque espèce de toutes les bestioles du sol, un
20 couple viendra avec toi pour que tu les gardes en vie. De ton côté, procure-toi de tout ce qui se mange et fais-en provision :

---

1. Bateau dont le pont est fermé.
2. Mélange imperméable à base de résine et de goudron.

3. Mesure de longueur variable qui équivalait à 50 cm environ, en Palestine.

cela servira de nourriture pour toi et pour eux. » Noé agit ainsi ; tout ce que Dieu lui avait commandé, il le fit. [...]

25 **7**[...] En l'an six cent de la vie de Noé, le second mois, le dix-septième jour du mois, ce jour-là jaillirent toutes les sources du grand abîme et les écluses[4] du ciel s'ouvrirent. La pluie tomba sur la terre pendant quarante jours et quarante nuits. [...]

L'inondation

[...] Les eaux grossirent et soulevèrent l'arche, qui fut élevée
30 au-dessus de la terre. Les eaux montèrent et grossirent beaucoup sur la terre et l'arche s'en alla à la surface des eaux. Les eaux montèrent de plus en plus sur la terre et toutes les plus hautes montagnes qui sont sous tout le ciel furent couvertes. Les eaux montèrent quinze coudées plus haut, recouvrant les
35 montagnes. Alors périt toute chair qui se meut sur la terre : oiseaux, bestiaux, bêtes sauvages, tout ce qui grouille sur la terre, et tous les hommes. Tout ce qui avait une haleine de vie dans les narines, c'est-à-dire tout ce qui était sur la terre ferme, mourut. Ainsi disparurent tous les êtres qui étaient à
40 la surface du sol, depuis l'homme jusqu'aux bêtes, aux bestioles et aux oiseaux du ciel : ils furent effacés de la terre et il ne resta que Noé et ce qui était avec lui dans l'arche. La crue des eaux sur la terre dura cent cinquante jours.

La décrue

8 Alors Dieu se souvint de Noé et de toutes les bêtes sauvages
45 et de tous les bestiaux qui étaient avec lui dans l'arche ; Dieu fit passer un vent sur la terre et les eaux désenflèrent. Les sources de l'abîme et les écluses du ciel furent fermées ; – la pluie fut retenue de tomber du ciel et les eaux se retirèrent petit à petit

---

4. Portes servant à retenir ou à lâcher de l'eau.
Le ciel est considéré comme le mur d'un réservoir.

de la terre; – les eaux baissèrent au bout de cent cinquante jours
50 et, au septième mois, au dix-septième jour du mois, l'arche s'arrêta sur les monts d'Ararat[5].[...] Au bout de quarante jours,
Noé ouvrit la fenêtre qu'il avait faite à l'arche et il lâcha le
corbeau, qui alla et vint en attendant que les eaux aient séché
sur la terre. Alors il lâcha d'auprès de lui la colombe pour voir
55 si les eaux avaient diminué à la surface du sol. La colombe, ne
trouvant pas un endroit où poser ses pattes, revint vers lui dans
l'arche, car il y avait de l'eau sur toute la surface de la terre; il
étendit la main, la prit et la fit rentrer auprès de lui dans l'arche.
Il attendit encore sept autres jours et lâcha de nouveau la
60 colombe hors de l'arche. La colombe revint vers lui sur le soir
et voici qu'elle avait dans le bec un rameau tout frais d'olivier!
Ainsi Noé connut que les eaux avaient diminué à la surface de
la terre. Il attendit encore sept autres jours et lâcha la colombe,
qui ne revint plus vers lui.

La sortie de l'arche

65 [...] Alors Dieu parla ainsi à Noé: «Sors de l'arche, toi et
ta femme, tes fils et les femmes de tes fils avec toi. Tous les
animaux qui sont avec toi, tout ce qui est chair, oiseaux,
bestiaux et tout ce qui rampe sur la terre, fais-les sortir avec
toi: qu'ils pullulent[6] sur la terre, qu'ils soient féconds et multi-
70 plient sur la terre.» Noé sortit avec ses fils, sa femme et les
femmes de ses fils; et toutes les bêtes sauvages, tous les
bestiaux, tous les oiseaux, toutes les bestioles qui rampent sur
la terre sortirent de l'arche, une espèce après l'autre.

Noé construisit un autel à Yahvé, il prit de tous les animaux
75 purs[7] et de tous les oiseaux purs et offrit des holocaustes[8] sur
l'autel. [...]

---

5. Massif volcanique de l'actuelle
Turquie. Point culminant : 5 165 m.
6. Qu'ils se reproduisent en grand nombre.

7. Qui conviennent pour un sacrifice.
8. Sacrifices où l'on brûle un animal en
entier.

9 [...] Et Dieu dit : « Voici le signe de l'alliance que j'institue entre moi et vous et tous les êtres vivants qui sont avec vous, pour les générations à venir : je mets mon arc dans la nuée[9] et il deviendra un signe d'alliance entre moi et la terre. »

La Genèse, 6, 13-22 ; 7, 11-12, 17-24 ; 8, 1-4, 6-12, 15-20 ; 9, 12-13.

Les descendants de Noé parlent la même langue et décident de construire une ville avec une tour immense qui atteindra le ciel : Babel, dont le nom fait allusion à la ville de Babylone* (voir carte p. 4). Mais Dieu les en empêche en créant différentes langues et en dispersant les hommes à travers le monde.

Il renouvelle cependant son alliance avec l'une de ces nations en portant son choix sur Abraham, un berger nomade de la région d'Ur, en Mésopotamie (voir carte p. 4) qui aurait vécu 1 850 ans av. J.-C. Dieu lui demande de quitter sa patrie pour gagner, au Sud, le pays de Canaan : la « Terre promise », qui lui revient ainsi qu'à ses descendants. Abraham suit l'ordre divin. Mais Dieu met encore à l'épreuve son obéissance en exigeant son fils Isaac en sacrifice. Alors que le père s'apprête à égorger son enfant, Dieu remplace celui-ci par un bélier.

Pour récompenser Abraham de sa confiance, Dieu lui donne une nombreuse descendance : son fils Isaac donnera naissance aux douze tribus d'Israël, et son fils Ismaël sera l'ancêtre de douze tribus arabes. Reconnu comme l'ancêtre commun par les juifs, les chrétiens et les musulmans, Abraham mérite bien son surnom de « Père des croyants ». C'est en son honneur et en souvenir du sacrifice miraculeux que les musulmans tuent un mouton, qu'ils mangent en famille, lors de la fête de l'Aïd el Kébir.

| **9.** Je mets mon arc-en-ciel au milieu des nuages.

Questions

Repérer et analyser

Le récit

1 Quels sont les événements racontés ? Aidez-vous des titres.

2 Quel est l'âge de Noé quand éclate le déluge ?

3 Comment les animaux ont-ils été choisis ? Pourquoi ?

4 Relevez tous les mots appartenant au champ lexical de l'eau (l. 11 à 28).

5 **a.** Relevez les mots ou expressions qui montrent la progression impitoyable de l'inondation (l. 29 à 35).

b. Pendant combien de jours la pluie tombe-t-elle ?

c. Combien de temps Noé et les animaux restent-ils dans l'arche ?

6 Comparez les lignes 24 à 35 et les lignes 44 à 51. Relevez, dans un tableau à deux colonnes, les expressions qui s'opposent.

7 Où l'arche échoue-t-elle ? Citez le texte.

8 Pourquoi Noé lâche-t-il les oiseaux ? Pourquoi la colombe ne revient-elle pas ?

Dieu et les hommes

9 Pourquoi Dieu a-t-il provoqué le déluge ?

10 Relevez les expressions qui font allusion à la destruction des êtres vivants (l. 1 à 43).

11 **a.** Quel est le sens du mot « alliance » (l. 77) dans le texte ?

b. Qu'est-ce qu'un « allié » ?

12 Quelle est la première action de Noé à sa sortie de l'arche ? Pourquoi agit-il ainsi ?

La poésie de la Bible : le symbole

Un symbole est l'image concrète, visible (animal, objet…) qui évoque une idée ou quelque chose qu'il n'est pas possible de représenter.

13 **a.** Quel est le symbole de l'alliance de Dieu avec les hommes ?

b. Que symbolisent la colombe et la branche d'olivier ?

Enquêter

14 Que signifient les expressions : « remonter au déluge » ; « après moi le déluge » ; « un déluge de paroles » ?

15 L'adjectif « diluvien » a la même origine que le mot « déluge ».
a. Qu'est-ce qu'une pluie diluvienne ?
b. Que signifie le mot « antédiluvien » ? Comment est-il formé ?

16 Selon l'Ancien Testament, Noé vit jusqu'à neuf cent cinquante ans et l'un de ces ancêtres, Mathusalem, atteint neuf cent soixante-neuf ans ! Quel est le sens de l'expression « vieux comme Mathusalem » ?

S'exprimer

17 Les animaux se retrouvent donc tous ensemble dans l'arche pour une année. Imaginez leur vie à bord, avec les dangers, les disputes ou les amitiés inattendues que cette cohabitation entraîne. N'hésitez pas à donner la parole à certains d'entre eux.

Se documenter

Les récits de déluge

Les hommes ont dû être atteints par des catastrophes venant des eaux, ce qui expliquerait les quelque trois cents récits mythiques de déluge provenant de diverses civilisations.

Ainsi, chez les Romains, pour sanctionner les fautes des hommes, Jupiter, le dieu du ciel, déchaîne la pluie et Neptune, le dieu de la mer, provoque inondations et raz de marée.

Dans les *Métamorphoses*, Ovide décrit le résultat terrible de la colère des dieux : tout est englouti sous les eaux. Seuls un juste, Deucalion, et sa femme Pyrrha, respectueuse des dieux, seront sauvés. C'est d'une façon inattendue, en jetant des pierres derrière leur dos, qu'ils feront surgir du sol une humanité nouvelle. Quant aux animaux disparus, c'est la terre, sous la chaleur du soleil, qui les engendrera spontanément.

Texte 3

Moïse

Le petit-fils d'Abraham, Jacob, a reçu de Dieu le nom d'Israël; depuis, les Hébreux sont appelés les Israélites.

Jacob et sa famille s'installent en Égypte, lors d'une grande sécheresse qui s'abat sur Canaan. Mais, bien des années plus tard, un nouveau pharaon traite les Hébreux en esclaves, allant même jusqu'à ordonner de tuer tous les enfants mâles à leur naissance.

Naissance de Moïse

2 Un homme de la maison de Lévi s'en alla prendre pour femme une fille de Lévi. Celle-ci conçut et enfanta un fils. Voyant combien il était beau, elle le dissimula pendant trois mois. Ne pouvant le dissimuler plus longtemps, elle prit
5 pour lui une corbeille de papyrus qu'elle enduisit de bitume et de poix[1], y plaça l'enfant et la déposa dans les roseaux sur la rive du Fleuve. La sœur de l'enfant se posta à distance pour voir ce qui lui adviendrait.

Or la fille de Pharaon descendit au Fleuve pour s'y baigner,
10 tandis que ses servantes se promenaient sur la rive du Fleuve. Elle aperçut la corbeille parmi les roseaux et envoya sa servante la prendre. Elle l'ouvrit et vit l'enfant: c'était un garçon qui pleurait. Touchée de compassion[2] pour lui, elle dit: « C'est un des petits Hébreux. » La sœur de l'enfant dit alors à la fille
15 de Pharaon: « Veux-tu que j'aille te chercher, parmi les femmes des Hébreux, une nourrice qui te nourrira cet enfant ? – Va », lui répondit la fille de Pharaon. La jeune fille alla donc chercher la mère de l'enfant. La fille de Pharaon lui dit: « Emmène

1. Matière collante, à base de résine qui isole de l'eau, ici.
2. Pitié.

cet enfant et nourris-le-moi, je te donnerai moi-même ton
20 salaire. » Alors la femme emporta l'enfant et le nourrit. Quand
l'enfant eut grandi, elle le ramena à la fille de Pharaon qui le
traita comme un fils et lui donna le nom de Moïse, car, disait-
elle, « je l'ai tiré des eaux[3] ».

Moïse reçoit une éducation égyptienne mais il est révolté
par les souffrances de son peuple. Dieu lui confie d'emmener
les Hébreux loin de l'Égypte vers le pays promis autrefois à
Abraham. Pharaon laisse partir les Hébreux à contrecœur.

Les Égyptiens à la poursuite d'Israël

14 [...] Lorsqu'on annonça au roi d'Égypte que le peuple
25 avait fui, le cœur de Pharaon et de ses serviteurs
changea à l'égard du peuple. Ils dirent : « Qu'avons-nous fait
là, de laisser Israël quitter notre service ! » Pharaon fit atteler
son char et emmena son armée. Il prit six cents des meilleurs
chars et tous les chars d'Égypte, chacun d'eux monté par des
30 officiers. Yahvé endurcit le cœur de Pharaon, le roi d'Égypte,
qui se lança à la poursuite des Israélites sortant la main haute[4].
Les Égyptiens se lancèrent à leur poursuite et les rejoignirent
alors qu'ils campaient au bord de la mer – tous les chevaux
de Pharaon, ses chars, ses cavaliers et son armée – près de Pi-
35 Hahirot, devant Baal-Çephôn. Comme Pharaon approchait,
les Israélites levèrent les yeux, et voici que les Égyptiens les
poursuivaient. Les Israélites eurent grand-peur et crièrent vers
Yahvé. Ils dirent à Moïse : « Manquait-il de tombeaux en
Égypte, que tu nous aies menés mourir dans le désert ? Que
40 nous as-tu fait en nous faisant sortir d'Égypte ? Ne te disions-
nous pas en Égypte : Laisse-nous servir les Égyptiens, car mieux

---

3. Le nom de Moïse (*moshé* en hébreu) viendrait du verbe *masha*
qui signifie « retirer », comme l'interprète le texte de l'*Exode*, 2, 10.
4. Comme s'ils étaient libres.

vaut pour nous servir les Égyptiens que de mourir dans le désert ? » Moïse dit au peuple : « Ne craignez pas ! Tenez ferme et vous verrez ce que Yahvé va faire pour vous sauver aujour-
45 d'hui, car les Égyptiens que vous voyez aujourd'hui, vous ne les reverrez plus jamais. Yahvé combattra pour vous ; vous, vous n'aurez qu'à rester tranquilles. »

Miracle de la mer
Yahvé dit à Moïse : « Pourquoi cries-tu vers moi ? Dis aux Israélites de repartir. Toi, lève ton bâton, étends ta main sur la
50 mer et fends-la, que les Israélites puissent pénétrer à pied sec au milieu de la mer. » [...]
Moïse étendit la main sur la mer, et Yahvé refoula la mer toute la nuit par un fort vent d'est ; il la mit à sec et toutes les eaux se fendirent. Les Israélites pénétrèrent à pied sec au milieu
55 de la mer, et les eaux leur formaient une muraille à droite et à gauche. Les Égyptiens les poursuivirent, et tous les chevaux de Pharaon, ses chars et ses cavaliers pénétrèrent à leur suite au milieu de la mer. À la veille du matin, Yahvé regarda de la colonne de feu et de nuée[5] vers le camp des Égyptiens, et jeta
60 la confusion dans le camp des Égyptiens. Il enraya les roues de leurs chars qui n'avançaient plus qu'à grand-peine. Les Égyptiens dirent : « Fuyons devant Israël car Yahvé combat avec eux contre les Égyptiens ! » Yahvé dit à Moïse : « Étends ta main sur la mer, que les eaux refluent sur les Égyptiens, sur leurs
65 chars et sur leurs cavaliers. » Moïse étendit la main sur la mer et, au point du jour, la mer rentra dans son lit. Les Égyptiens en fuyant la rencontrèrent, et Yahvé culbuta les Égyptiens au milieu de la mer. Les eaux refluèrent et recouvrirent les chars et les cavaliers de toute l'armée de Pharaon, qui avaient pénétré
70 derrière eux dans la mer. Il n'en resta pas un seul. [...]

| **5.** Dieu fit accompagner les Hébreux par une colonne de feu et de nuée.

Commence alors pour les Israélites une pénible traversée du désert jusqu'au mont Sinaï.

La manne et les cailles

16 [...] Toute la communauté des Israélites se mit à murmurer contre Moïse et Aaron[6] dans le désert. Les Israélites leur dirent : « Que ne sommes-nous morts de la main de Yahvé au pays d'Égypte, quand nous étions assis auprès de la marmite de viande et mangions du pain à satiété[7] ! À coup sûr, vous nous avez amenés dans ce désert pour faire mourir de faim toute cette multitude. » [...] Yahvé parla à Moïse et lui dit : « J'ai entendu les murmures des Israélites. Parle-leur et dis-leur : Au crépuscule vous mangerez de la viande et au matin vous serez rassasiés de pain. Vous saurez alors que je suis Yahvé votre Dieu. » Le soir, des cailles montèrent et couvrirent le camp, et au matin, il y avait une couche de rosée tout autour du camp. Cette couche de rosée évaporée, apparut sur la surface du désert quelque chose de menu, de granuleux,

| **6.** Le frère de Moïse. | | **7.** Suffisamment, jusqu'à être rassasié. |

85 de fin comme du givre sur le sol. Lorsque les Israélites virent cela, ils se dirent l'un à l'autre : « Qu'est-ce cela ? » car ils ne savaient pas ce que c'était. Moïse leur dit : « Cela, c'est le pain que Yahvé vous a donné à manger. » [...]

La maison d'Israël donna à cela le nom de manne. On eût
90 dit de la graine de coriandre[8], c'était blanc et cela avait un goût de galette au miel. [...]

L'eau jaillie du rocher

17 Toute la communauté des Israélites partit du désert de Sin pour les étapes suivantes, sur l'ordre de Yahvé, et ils campèrent à Rephidim où il n'y avait pas d'eau à boire
95 pour le peuple. Celui-ci s'en prit à Moïse ; ils dirent : « Donne-nous de l'eau, que nous buvions ! » Moïse leur dit : « Pourquoi vous en prenez-vous à moi ? Pourquoi mettez-vous Yahvé à l'épreuve ? » Le peuple y souffrit de la soif, le peuple murmura contre Moïse et dit : « Pourquoi nous as-tu fait monter
100 d'Égypte ? Est-ce pour me faire mourir de soif, moi, mes enfants et mes bêtes ? » Moïse cria vers Yahvé en disant : « Que ferai-je pour ce peuple ? Encore un peu et ils me lapideront[9]. » Yahvé dit à Moïse : « Passe en tête du peuple et prends avec toi quelques anciens d'Israël ; prends en main ton bâton, celui
105 dont tu as frappé le Fleuve, et va. Voici que je vais me tenir devant toi, là sur le rocher [...], tu frapperas le rocher, l'eau en sortira et le peuple boira. » C'est ce que fit Moïse, aux yeux des anciens d'Israël.

L'Exode, 2, 1-10 ; 14, 5-16, 21-28 ;
16, 2-3, 11-15, 31 ; 17, 1-6.

Après des années d'épreuves, le peuple hébreu pourra enfin s'installer sur la Terre promise de Canaan.

| **8.** Plante aromatique. | **9.** Ils me tueront à coups de pierres.

Questions

Repérer et analyser

Le récit

La naissance de Moïse (l. 1 à 23)

1 **a.** Dans quel pays se déroule l'histoire ? Quel est le fleuve dont il est question ?

b. Reliez d'une flèche chaque personnage à l'action qu'il accomplit.

La mère de Moïse •   • Elle donne son nom à l'enfant

                         • Elle cache l'enfant dans les roseaux

La sœur de Moïse •   • Elle se fait passer pour une nourrice

                         • Elle propose d'aller chercher une nourrice

                         • Elle devient la mère adoptive de l'enfant

La fille de Pharaon •   • Elle surveille l'enfant de loin

Le passage de la mer (l. 24 à 70)

2 **a.** Que reprochent les Hébreux à Moïse ? Que craignent-ils ?

b. Comment s'y prend Moïse pour ouvrir et refermer la mer ?

c. Quand a lieu le passage de la mer ? Relevez trois expressions à l'appui de votre réponse (l. 52 à 68). De quelle « mer » s'agit-il ?

3 **a.** Pourquoi les Égyptiens poursuivent-ils les Hébreux ?

b. De quoi est composée leur armée ? Qui la mène ?

c. Quand décident-ils de cesser la poursuite ? Pourquoi ?

d. Qu'arrive-t-il à l'armée des Égyptiens ?

La manne (l. 71 à la fin)

4 Combien de fois Dieu s'adresse-t-il à Moïse ? Quel est le but de ses interventions ?

5 Quel mystérieux aliment Dieu procure-t-il aux Hébreux pour les sauver de la faim ? Décrivez-le.

6 Les Hébreux font-ils confiance à Dieu et à Moïse ? Que signifie le verbe « murmurer » (l. 98) ?

Un personnage : Moïse

7 Comment se comporte Moïse vis-à-vis de Dieu ?
Quelles qualités montre-t-il ? Justifiez vos réponses.

8 Quel est le rôle de Moïse auprès de son peuple ? De quelles qualités fait-il preuve ?

9 Qu'est-ce qui fait de Moïse un homme au destin exceptionnel ? Justifiez votre réponse.

Se documenter

Les dix commandements de Dieu ou le décalogue

Sur le mont Sinaï, Moïse reçoit de Dieu les Tables de la Loi, tablettes de pierre sur lesquelles sont gravés les dix commandements que le peuple hébreu devra respecter. Recherchez quels sont ces dix commandements.

Les précieuses tablettes seront placées dans l'*Arche d'Alliance*, un coffre sacré en bois plaqué d'or que nul ne doit toucher. Cet objet vénéré entre tous sera abrité, des siècles plus tard, dans le *Temple de Jérusalem* construit par le roi Salomon (voir p. 35) ; mais il disparaîtra lors de la destruction du Temple en 587 av. J.-C.

Le décalogue (du grec *deka*, « dix », et *logos*, parole) demeure le fondement de la morale juive et chrétienne. Le Coran s'en est également inspiré.

Aujourd'hui, la fête juive de la Pâque (ou Pessah) célèbre le souvenir de la sortie d'Égypte. On consomme ce jour-là des nourritures symboliques : un agneau, du pain azyme, des herbes amères et un mélange de noix et de fruits.

Texte 4

David et Goliath

Le pays de Canaan est devenu le royaume d'Israël.
Vers 1030 av. J.-C., son premier roi, Saül, est en guerre contre
les Philistins, habitants de la côte méditerranéenne et ennemis
des Hébreux.

Goliath défie l'armée israélite

17 Les Philistins rassemblèrent leurs troupes pour la guerre, ils se concentrèrent à Soko de Juda, et campèrent entre Soko et Azéqa, à Éphès-Dammim. Saül et les Israélites se concentrèrent et campèrent dans la vallée du Térébinthe et
5 ils se rangèrent en bataille face aux Philistins. Les Philistins occupaient la montagne d'un côté, les Israélites occupaient la montagne de l'autre côté et la vallée était entre eux.

Un champion[1] sortit des rangs philistins. Il s'appelait Goliath, de Gat, et sa taille était de six coudées[2] et un empan[2]. Il avait
10 sur la tête un casque de bronze et il était revêtu d'une cuirasse à écailles : la cuirasse pesait cinq mille sicles[3] de bronze. Il avait aux jambes des jambières de bronze, et un cimeterre[4] de bronze en bandoulière. Le bois de sa lance était comme un liais[5] de tisserand et la pointe de sa lance pesait six cents sicles de fer.
15 Le porte-bouclier marchait devant lui.

Il se campa devant les lignes israélites et leur cria : « Pourquoi êtes-vous sortis pour vous ranger en bataille ? Ne suis-je pas, moi, le Philistin, et vous, n'êtes-vous pas les serviteurs de Saül ? Choisissez-vous un homme et qu'il descende vers moi. S'il

---

1. Combattant choisi pour défendre la cause de tous.
2. Mesures de longueur : la coudée = 50 cm environ ; l'empan = 25 cm environ (1/2 coudée).

3. Unité de poids : 1 sicle = un peu plus de 11 grammes (11,424 g).
4. Sabre à lame recourbée.
5. Partie en bois, arrondie, d'un métier à tisser.

20 l'emporte en luttant avec moi et s'il m'abat, alors nous serons vos serviteurs, si je l'emporte sur lui et si je l'abats, alors vous deviendrez nos serviteurs ; vous nous serez asservis. » Le Philistin dit aussi : « Moi, j'ai lancé aujourd'hui un défi aux lignes d'Israël. Donnez-moi un homme, et que nous nous mesu-
25 rions en combat singulier ! » Quand Saül et tout Israël enten-dirent ces paroles du Philistin, ils furent consternés et ils eurent très peur.

Un jeune berger, David, relève alors le défi.

Le combat singulier

David prit son bâton en main, il se choisit dans le torrent cinq pierres bien lisses et les mit dans son sac de berger, sa
30 giberne, puis, la fronde[6] à la main, il marcha vers le Philistin. Le Philistin s'approcha de plus en plus près de David, précédé du porte-bouclier. Le Philistin tourna les yeux vers David et, lorsqu'il le vit, il le méprisa car il était jeune – il était roux, avec une belle apparence. Le Philistin dit à David : « Suis-je un
35 chien pour que tu viennes contre moi avec des bâtons ? » et le Philistin maudit David par ses dieux. Le Philistin dit à David : « Viens vers moi, que je donne ta chair aux oiseaux du ciel et aux bêtes des champs ! » Mais David répondit au Philistin : « Tu marches contre moi avec épée, lance et cimeterre, mais
40 moi, je marche contre toi au nom de Yahvé Sabaot[7], le Dieu des troupes d'Israël que tu as défiées. Aujourd'hui, Yahvé te livrera en ma main, je t'abattrai, je te couperai la tête, je donnerai aujourd'hui même ton cadavre et les cadavres de l'armée philistine aux oiseaux du ciel et aux bêtes sauvages.
45 Toute la terre saura qu'il y a un Dieu en Israël, et toute cette

6. Arme formée d'une poche de cuir, suspendue entre deux cordes et qui sert à lancer des projectiles.
7. Titre évoquant la puissance de Dieu.

assemblée saura que ce n'est pas par l'épée ni par la lance que Yahvé donne la victoire, car Yahvé est maître du combat et il vous livre entre nos mains. »

Dès que le Philistin s'avança et marcha au-devant de David,
50 celui-ci sortit des lignes et courut à la rencontre du Philistin. Il mit la main dans son sac et en prit une pierre qu'il tira avec la fronde. Il atteignit le Philistin au front ; la pierre s'enfonça dans son front et il tomba la face contre terre. Ainsi David triompha du Philistin avec la fronde et la pierre : il abattit le
55 Philistin et le fit mourir ; il n'y avait pas d'épée entre les mains de David. David courut et se tint debout sur le Philistin ; saisissant l'épée de celui-ci, il la tira du fourreau, il acheva le Philistin et, avec elle, il lui trancha la tête.

Premier Livre de Samuel, 17, 1-11, 40-51.

Questions

Repérer et analyser

Le récit d'un combat

Les adversaires

1 **a.** Qui sont les deux personnages ? Par quels termes sont-ils désignés ?

b. Pour quelle raison combattent-ils ?

2 Quelles sont les armes de Goliath ? et celles de David ? Qui paraît le mieux équipé ?

3 Relisez les notes 2 et 3 puis calculez en mètres la taille de Goliath et en kilos le poids de ses armes : qu'en concluez-vous ?

4 Relevez la phrase qui décrit l'apparence de David : comment apparaît-il comparé à Goliath ? Quelle est sa force véritable ?

Le combat

5 Remplacez l'expression « combat singulier » par une expression synonyme.

6 Relevez les paroles de chaque adversaire (l. 34 à 48) : quel genre de paroles les deux adversaires échangent-ils avant le combat ? Dans quel but ? Que constatez-vous ?

7 Quelle est l'issue du combat ? Quelle peut être la visée de ce texte ?

Se documenter

David

Il devient roi d'Israël (1010-970) et choisit pour capitale Jérusalem où il fait venir l'Arche d'Alliance. Au cours de son règne, David remporte la victoire définitive sur les Philistins et il agrandit le territoire d'Israël. Dans la Bible, comme David, de nombreux héros et même des héroïnes risquent courageusement leur vie pour défendre leur peuple.

Texte 5

Salomon

En 970, le fils de David, Salomon, succède à son père : il se rend célèbre par sa sagesse.

Le jugement de Salomon

3 [...] Alors deux prostituées vinrent vers le roi et se tinrent devant lui. L'une des femmes dit : « S'il te plaît, Monseigneur ! Moi et cette femme nous habitons la même maison, et j'ai eu un enfant, alors qu'elle était dans la maison. Il est
5 arrivé que, le troisième jour après ma délivrance[1], cette femme aussi a eu un enfant ; nous étions ensemble, il n'y avait pas d'étranger avec nous, rien que nous deux dans la maison. Or le fils de cette femme est mort une nuit parce qu'elle s'était couchée sur lui. Elle se leva au milieu de la nuit, prit mon fils
10 d'à côté de moi pendant que ta servante[2] dormait ; elle le mit sur son sein et son fils mort elle le mit sur mon sein. Je me levai pour allaiter mon fils, et voici qu'il était mort ! Mais, au matin, je l'examinai, et voici que ce n'était pas mon fils que j'avais enfanté ! » Alors l'autre femme dit : « Ce n'est pas vrai ! Mon
15 fils est celui qui est vivant, et ton fils est celui qui est mort ! » et celle-là reprenait : « Ce n'est pas vrai ! Ton fils est celui qui est mort et mon fils est celui qui est vivant ! » Elles se disputaient ainsi devant le roi qui prononça : « Celle-ci dit : "Voici mon fils qui est vivant et c'est ton fils qui est mort !" et celle-
20 là dit : "Ce n'est pas vrai ! Ton fils est celui qui est mort et mon fils est celui qui est vivant !" Apportez-moi une épée », ordonna le roi ; et on apporta l'épée devant le roi, qui dit : « Partagez l'enfant vivant en deux et donnez la moitié à l'une et la moitié

1. Mon accouchement.
2. La femme se désigne elle-même : « pendant que je dormais ».

à l'autre. » Alors la femme dont le fils était vivant s'adressa
25 au roi, car sa pitié s'était enflammée pour son fils, et elle dit :
« S'il te plaît, Monseigneur ! Qu'on lui donne l'enfant vivant,
qu'on ne le tue pas ! » mais celle-là disait : « Il ne sera ni à moi
ni à toi, partagez ! » Alors le roi prit la parole et dit : « Donnez
l'enfant vivant à la première, ne le tuez pas. C'est elle la mère. »
30 Tout Israël apprit le jugement qu'avait rendu le roi, et ils révé-
rèrent[3] le roi car ils virent qu'il y avait en lui une sagesse divine
pour rendre la justice.

Premier Livre des Rois, 3, 16-28.

*À la mort du roi Salomon, le royaume d'Israël est divisé en
deux : le royaume de Juda au Sud qui conserve Jérusalem
comme capitale, et celui d'Israël au Nord qui a pour capitale
Samarie. Les siècles suivants amènent invasions et destruc-
tions : en 721 ou 722, les Assyriens prennent Samarie ; en 587,
Jérusalem est détruite par Nabuchodonosor, le roi de Babylone. Les juifs, exilés à Babylone, ne reverront la ville sainte
qu'en 538 mais la Palestine sera ensuite occupée par les Grecs,
puis par les Romains.*

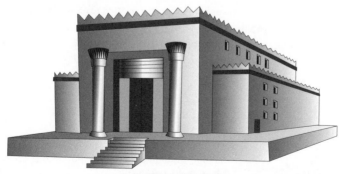

Le Temple de Jérusalem.

| **3.** Ils vénérèrent, ils eurent un grand respect pour le roi.

Questions

Repérer et analyser

Les personnages et leurs relations

1 **a.** Relevez, sur deux colonnes, les mots ou les groupes de mots qui désignent chacune des deux femmes. Repérez les pronoms et identifiez-les.

b. Est-il facile de les distinguer ?

c. Pour quelle raison se disputent-elles ?

2 Relisez attentivement le récit de la première femme (l. 2 à 14).

a. Relevez les compléments circonstanciels et classez-les selon les circonstances qu'ils indiquent (lieu, temps, cause, but, etc.).

b. Pourquoi la femme apporte-t-elle autant de précisions ?

c. Quelle accusation porte-t-elle ?

3 Que répond la deuxième femme à cette accusation ?

4 **a.** Comparez les répliques des deux femmes (lexique, déterminants, construction de phrases).

b. Est-il possible de savoir qui dit vrai ? Pourquoi ?

Le jugement

5 Retrouvez les phrases qui expriment les décisions du roi. À quel mode sont les verbes ?

6 Quelle décision le roi prend-il pour mettre fin à la dispute ? En quoi s'agit-il d'une ruse ?

7 L'attitude des deux femmes permet de reconnaître la véritable mère : montrez-le.

Enquêter

8 En vous aidant d'un dictionnaire, cherchez ce que signifient aujourd'hui les expressions : un « jugement de Salomon » ; « parvenir au Saint des Saints » (voir « Se documenter », p. 37).

9 Que désigne un « sceau-de-Salomon » ?

Se documenter

Salomon, le magnifique

Salomon n'est pas un personnage imaginaire : il a régné sur le pays d'Israël de 970 à 931 av. J.-C. La Bible le présente comme un sage mais aussi comme le souverain qui a mené son royaume au sommet de la puissance et de la gloire. Jamais roi d'Israël n'eut une telle renommée ! On venait de loin lui demander conseil en échange de précieux cadeaux. Ainsi Salomon reçut la visite de la reine de Saba, venue d'Arabie lui soumettre des énigmes ; émerveillée de ses réponses, elle lui laissa ses « chameaux chargés d'aromates, d'or en énorme quantité et de pierres précieuses » (*Premier Livre des Rois*, 10, 2).

En paix avec ses voisins grâce à son mariage avec une princesse égyptienne et à un commerce fructueux avec les Phéniciens, l'habile Salomon avait su créer les conditions nécessaires au développement de son pays : la prospérité du royaume et de son souverain semblait alors sans limites : « Le poids de l'or qui arriva à Salomon en une année fut de six cent soixante-six talents d'or » (soit près de vingt-trois tonnes !) (*Premier Livre des Rois*, 10, 14).

Épris de luxe et de richesse, Salomon se fit bâtir un palais magnifique mais il mena surtout à bien la construction du premier *Temple de Jérusalem*, une demeure somptueuse pour le Dieu d'Israël. La Bible décrit précisément ce bâtiment organisé autour de trois salles : le « Vestibule » ouvert aux croyants, le « Saint » réservé aux prêtres, le « Saint des Saints » qui abritait l'*Arche d'Alliance* et où seul le grand prêtre pouvait entrer une fois l'an. Jusqu'à sa destruction en 587 av. J.-C., le Temple resta le grand lieu de culte d'Israël.

L'amour de Salomon pour les femmes – toutes les femmes, israélites et païennes – est resté aussi célèbre que son amour des richesses : si l'on en croit la Bible, il eut 700 épouses de rang princier et 300 concubines ! Le Coran, qui le glorifie sous le nom de Suleyman et lui prête des pouvoirs magiques, lui attribue même une histoire d'amour avec la reine de Saba, Balkis.

Texte 6

Le Nouveau Testament

Le grand commandement
La parabole du bon Samaritain
La guérison d'un paralytique

L'Ancien Testament se termine sur l'attente d'un libérateur envoyé par Dieu pour restaurer le royaume d'Israël et le délivrer de l'occupation étrangère. Au Ier siècle de notre ère, les chrétiens (voir « Se documenter », p. 45-46) reconnaissent ce libérateur en Jésus, un homme de Nazareth. Les quatre premiers livres du Nouveau Testament nous présentent Jésus parcourant la Palestine, porteur d'un message d'amour, de paix et de tolérance. De ville en ville, accompagné d'un groupe de disciples*, il explique comment suivre les commandements de Dieu : les gens se pressent pour l'écouter et assister aux actions extraordinaires qu'il accomplit.

Le grand commandement

10 [...] Et voici qu'un légiste[1] se leva, et lui dit pour l'éprouver[2] : « Maître, que dois-je faire pour avoir en héritage la vie éternelle ? » Il lui dit : « Dans la Loi, qu'y a-t-il d'écrit ? Comment lis-tu ? » Celui-ci répondit : « Tu aimeras
5 le Seigneur, ton Dieu, de tout ton cœur, de toute ton âme, de toute ta force et de tout ton esprit ; et ton prochain comme toi-même. » – « Tu as bien répondu, lui dit Jésus ; fais cela et tu vivras. »

---

1. Spécialiste des textes sacrés, qui veillait à leur application.
2. Mettre à l'épreuve, tester.

La parabole du bon Samaritain

Mais lui, voulant se justifier, dit à Jésus : « Et qui est mon
10   prochain ? » Jésus reprit : « Un homme descendait de Jérusalem
à Jéricho, et il tomba au milieu de brigands qui, après l'avoir
dépouillé et roué de coups, s'en allèrent, le laissant à demi mort.
Un prêtre vint à descendre par ce chemin-là ; il le vit et passa
outre. Pareillement un lévite[3], survenant en ce lieu, le vit et passa
15   outre. Mais un Samaritain[4], qui était en voyage, arriva près de
lui, le vit et fut pris de pitié. Il s'approcha, banda ses plaies, y
versant de l'huile et du vin[5], puis le chargea sur sa propre
monture, le mena à l'hôtellerie et prit soin de lui. Le lendemain,
il tira deux deniers[6] et les donna à l'hôtelier, en disant : « Prends
20   soin de lui, et ce que tu auras dépensé en plus, je te le rembour-
serai, moi, à mon retour. » Lequel de ces trois, à ton avis, s'est
montré le prochain de l'homme tombé aux mains des
brigands ? » Il dit : « Celui-là qui a exercé la miséricorde envers
lui. » Et Jésus lui dit : « Va, et toi aussi, fais de même. »

Luc, 10, 25-37.

La guérison d'un paralytique

25   **2** Comme il était entré de nouveau à Capharnaüm, après
quelque temps on apprit qu'il était à la maison. Et beaucoup se rassemblèrent, en sorte qu'il n'y avait plus de place,
même devant la porte, et il leur annonçait la Parole[7]. On vient
lui apporter un paralytique, soulevé par quatre hommes. Et
30   comme ils ne pouvaient pas le lui présenter à cause de la foule,
ils découvrirent la terrasse au-dessus de l'endroit où il se trou-
vait et, ayant creusé un trou[8], ils font descendre le grabat[9] où

---

3. Assistant du prêtre (descendant de Lévi, troisième fils de Jacob).
4. Habitant de la ville de Samarie.
5. L'huile était employée pour adoucir les contusions, le vin pour désinfecter les plaies.
6. Monnaie d'argent.

7. Le message sacré de Jésus.
8. Les toits plats, en terrasse, étaient formés de branchages mélangés à de la terre. Ils pouvaient facilement s'ouvrir.
9. Un mauvais lit.

gisait le paralytique. Jésus, voyant leur foi, dit au paralytique :
« Mon enfant, tes péchés sont remis[10]. » Or, il y avait là, dans
35 l'assistance, quelques scribes[11] qui pensaient dans leurs cœurs :
« Comment celui-là parle-t-il ainsi ? Il blasphème ! Qui peut
remettre les péchés, sinon Dieu seul ? » Et aussitôt, percevant
par son esprit qu'ils pensaient ainsi en eux-mêmes, Jésus leur
dit : « Pourquoi de telles pensées dans vos cœurs ? Quel est le
40 plus facile, de dire au paralytique : Tes péchés sont remis, ou
de dire : Lève-toi, prends ton grabat et marche ? Eh bien ! pour
que vous sachiez que le Fils de l'homme[12] a le pouvoir de
remettre les péchés sur la terre, je te l'ordonne, dit-il au paralytique, lève-toi, prends ton grabat et va-t'en chez toi. » Il se
45 leva et aussitôt, prenant son grabat, il sortit devant tout le
monde, de sorte que tous étaient stupéfaits et glorifiaient Dieu
en disant : « Jamais nous n'avons rien vu de pareil. »

Marc, 2, 1-12.

Miniature du XIIIe siècle.

| **10.** Effacés. | **11.** Voir la note 1. | **12.** Jésus se désigne souvent ainsi.

Questions

Repérer et analyser

La parabole du bon Samaritain

> Une parabole est une histoire imagée qui aide à mieux comprendre une vérité morale ou religieuse. Jésus a utilisé de nombreuses paraboles pour instruire son peuple.

1 Quelle est l'histoire racontée par Jésus ?

2 Quels sont les personnages présents dans le récit de Jésus ?

3 Comment se comportent les deux premiers personnages en voyant le blessé ? Trouvez deux adjectifs pour qualifier leur attitude.

4 Que fait le Samaritain ? Qualifiez son comportement.

5 Quelle leçon veut transmettre Jésus à travers cette parabole ?

6 En relisant attentivement cette parabole, répondez à la question : qui est mon prochain ?

La guérison d'un paralytique

7 Quelle est l'histoire racontée ?

8 **a.** Quelle action extraordinaire Jésus accomplit-il ?
b. Cherchez dans un dictionnaire le sens des mots suivants : la « foi » (l. 33) ; un « péché » (l. 34) ; « blasphémer » (l. 36) et « glorifier » (l. 46). À quel champ lexical appartiennent-ils ?

9 Comment réagissent les spectateurs ?

10 Que veut prouver Jésus en guérissant le paralytique (l. 37 à 44) ? Citez le texte à l'appui de votre réponse.

Un personnage : Jésus

11 Jésus répond souvent à ceux qui le questionnent par d'autres questions. Trouvez un exemple de ce procédé au début du texte. Dans quelle intention Jésus agit-il ainsi ?

12 À l'époque de Jésus, les habitants de la ville de Samarie étaient méprisés et même haïs parce qu'ils avaient des coutumes et des pratiques religieuses différentes. Comprenez-vous pourquoi c'est justement un Samaritain que Jésus donne en exemple ?

13 Jésus a un comportement inhabituel et des idées nouvelles, qui choquent certaines personnes. À quel moment le voit-on ?

Jésus devant Pilate – Le couronnement d'épines
Le crucifiement – La mort de Jésus

L'enseignement de Jésus remet en cause les préjugés religieux et l'ordre politique. Considéré comme un agitateur par les prêtres juifs et les occupants romains, Jésus est emprisonné puis jugé.

Jésus devant Pilate

27[...] Jésus fut amené en présence du gouverneur et le gouverneur l'interrogea en disant : « Tu es le Roi
50 des Juifs ? » Jésus répliqua : « Tu le dis. » Puis, tandis qu'il était accusé par les grands prêtres et les anciens, il ne répondit rien. Alors Pilate lui dit : « N'entends-tu pas tout ce qu'ils attestent contre toi ? » Et il ne lui répondit sur aucun point, si bien que le gouverneur était fort étonné.
55   À chaque Fête, le gouverneur avait coutume de relâcher à la foule un prisonnier, celui qu'elle voulait. On avait alors un prisonnier fameux, nommé Barabbas. Pilate dit donc aux gens qui se trouvaient rassemblés : [...]« Lequel des deux voulez-vous que je vous relâche ? » Ils dirent : « Barabbas. » Pilate leur
60 dit : « Que ferai-je donc de Jésus que l'on appelle Christ ? » Ils disent tous : « Qu'il soit crucifié ! » Il reprit : « Quel mal a-t-il donc fait ? » Mais ils criaient plus fort : « Qu'il soit crucifié ! » Voyant alors qu'il n'aboutissait à rien, mais qu'il s'ensuivait plutôt du tumulte, Pilate prit de l'eau et se lava les mains en
65 présence de la foule, en disant : « Je ne suis pas responsable de ce sang ; à vous de voir ! » Et tout le peuple répondit : « Que son sang soit sur nous et sur nos enfants ! » Alors il leur relâcha Barabbas ; quant à Jésus, après l'avoir fait flageller, il le livra pour être crucifié.

Le couronnement d'épines

70 Alors les soldats du gouverneur prirent avec eux Jésus dans le Prétoire[13] et ameutèrent sur lui toute la cohorte[14]. L'ayant dévêtu, ils lui mirent une chlamyde[15] écarlate, puis, ayant tressé une couronne avec des épines, ils la placèrent sur sa tête, avec un roseau dans sa main droite. Et, s'agenouillant
75 devant lui, ils se moquèrent de lui en disant : « Salut, roi des Juifs ! » et, crachant sur lui, ils prenaient le roseau et en frappaient sa tête. Puis, quand ils se furent moqués de lui, ils lui ôtèrent la chlamyde, lui remirent ses vêtements et l'emmenèrent pour le crucifier.

Matthieu, 27, 11-17 ; 21-26 ; 27-31.

Le crucifiement

80 **19** [...] Ils prirent donc Jésus. Et il sortit, portant sa croix, et vint au lieu dit du Crâne – ce qui se dit en hébreu Golgotha – où ils le crucifièrent et avec lui deux autres : un de chaque côté et, au milieu, Jésus. Pilate rédigea aussi un écriteau et le fit placer sur la croix. Il y était écrit : « Jésus le
85 Nazôréen[16], le roi des Juifs. » [...]

La mort de Jésus

Après quoi, sachant que [...] tout était achevé pour que l'Écriture fût parfaitement accomplie[17], Jésus dit : « J'ai soif. »

Un vase était là, rempli de vinaigre. On mit autour d'une branche d'hysope[18] une éponge imbibée de vinaigre et on
90 l'approcha de sa bouche. Quand il eut pris le vinaigre, Jésus dit : « C'est achevé » et, inclinant la tête, il remit l'esprit.

Jean, 19, 16-19 ; 28-30.

---

13. Demeure du gouverneur romain et tribunal où il rendait justice.
14. Division de l'armée romaine.
15. Tunique de soldat, sans manches.
16. Le Nazôréen (ou Nazaréen) : Jésus a passé toute son enfance dans la ville de Nazareth.
17. Tous les actes de Jésus étaient annoncés dans l'Ancien Testament.
18. Petit arbuste.

Questions

Repérer et analyser

Les sources

1 De quels évangiles ces extraits sont-ils tirés?

Le récit

Les personnages

2 Qui sont Pilate et Barabbas?

3 Retrouvez deux expressions qui désignent Jésus.

Les étapes du procès (l. 48 à 69 ; 80 à 85)

4 Qui accuse Jésus?

5 Quel est le rôle de Pilate?

6 Quel est le motif de la condamnation de Jésus? Où est-il écrit?

7 À quelle peine Jésus est-il condamné?

8 Lors de son procès, Jésus essaie-t-il de se défendre auprès de Pilate? Pourquoi?

9 Quelles sont les souffrances et les humiliations supportées par Jésus? Citez le texte.

Le crucifiement

10 **a.** En quoi consiste le supplice du crucifiement?
b. Où se déroule-t-il?

11 Comment qualifieriez-vous l'attitude de Jésus pendant son supplice? Comment l'expliquez-vous?

Un personnage : Pilate

12 Bien qu'essentiellement responsables de la mort de Jésus, pour des raisons politiques, les Romains ne sont pas présentés comme tels dans le Nouveau Testament. Pilate croit-il Jésus coupable? Qu'est-ce qui le montre? Justifiez votre réponse. Pourquoi le condamne-t-il, alors?

13 Pourquoi Pilate se lave-t-il les mains? Que veut-il signifier par ce geste?

Enquêter

14 Qu'appelle-t-on aujourd'hui « un bon Samaritain » ?

15 Que signifie l'expression : « Je m'en lave les mains » ?

16 Capharnaüm est le nom de la ville où Jésus a séjourné et où différentes personnes s'amassaient pour l'écouter. Qu'est devenu ce mot aujourd'hui ? Expliquez l'évolution de son sens.

17 Le mot *Golgotha* qui signifie « lieu du crâne » en araméen, se traduit en latin par *Calvaria*, « le Calvaire ». Que signifie « subir un calvaire » ?

Se documenter

Le message de la Bible

Le principal commandement de Jésus est le respect fondamental de la personne humaine. Dans ses paroles, les mots « prochain », « frère », signifient bien plus que les membres d'une même famille ou les gens d'un même pays. Ils désignent tous les hommes, sans exception, sans distinction de richesse, d'origine ou de religion.

Ce message, développé par Jésus, est déjà présent dans l'Ancien Testament. Ainsi, dans le troisième livre de la Bible, appelé le *Lévitique*, on peut lire des mots semblables :

« Tu aimeras ton prochain comme toi-même [...].

Si un étranger réside avec vous dans votre pays, vous ne le molesterez pas. L'étranger qui réside avec vous sera pour vous comme un compatriote et tu l'aimeras comme toi-même, car vous avez été étrangers au pays d'Égypte » (Lévitique 19, 18 et 19, 33-34).

Les chrétiens

Aux alentours de l'an 0 de notre ère, les juifs ne s'accordent pas sur l'interprétation de la Loi : les Sadducéens, les Esséniens, les Zélotes, les Pharisiens sont des groupes religieux qui lisent et respectent différemment les textes sacrés.

C'est alors qu'apparaît une nouvelle communauté juive qui place tous ses espoirs en Jésus : elle lui donne, en hébreu, le nom de « Messie »

(« Christ » en grec), un titre jusque-là réservé au roi, qui signifie « marqué avec l'huile sacrée », « consacré par Dieu ». Ces premiers disciples de Jésus seront appelés « chrétiens », un mot dérivé du nom « Christ ».

La vie de Jésus et les *Évangiles**

Jésus a vraiment existé. Il est né non pas en l'an 0 de notre ère, comme la logique de notre datation l'exigerait, mais, si on se fie à certaines précisions historiques de la Bible, quatre ou six ans auparavant. Il est mort en l'an 30 ou 33, en avril, au moment de la Pâque juive.

Les quatre premiers livres du Nouveau Testament rapportent le témoignage de quatre disciples, Matthieu, Marc, Luc et Jean sur la vie de Jésus. Leur projet n'est pas d'écrire une biographie de l'homme de Nazareth mais de démontrer qu'il est bien le Messie et d'annoncer cette nouvelle à tous les hommes. Ainsi leurs textes ont-ils reçu le nom d'*Évangiles*, ce qui signifie « Bonne Nouvelle » en grec.

Les *Évangiles* racontent ainsi la naissance de Jésus : un ange annonce à Marie qu'elle sera la mère du Messie. Avec son époux, Joseph[1], elle se rend à Bethléem pour se faire recenser et met au monde son fils, Jésus, dans une étable, faute de place à l'auberge. Ainsi, Jésus, pauvre, ignoré de tous, naît dans une crèche, c'est-à-dire une mangeoire remplie de foin pour les bêtes.

Les Évangiles témoignent aussi de la résurrection du Christ, trois jours après sa crucifixion. Son tombeau est trouvé vide, et Jésus apparaît à plusieurs reprises à ses apôtres*, à qui il demande de transmettre son message au monde entier.

La fête chrétienne de Noël célèbre la naissance de Jésus : on en ignore le jour exact, mais Noël a été placé le 25 décembre pour remplacer les cérémonies païennes* du solstice d'hiver. La fête de Pâques, quant à elle, commémore pour les chrétiens la Passion, la mort et la résurrection de Jésus.

---

1. Le père légal de Jésus, Joseph, descend de David (voir p. 30 à 33). C'est pourquoi Jésus est nommé parfois « fils de David ».

Étudier une image

Nativité. Maître Francke (1380-1430). Hambourg, Kunsthall.

18 Quels personnages reconnaissez-vous ?

19 **a.** Dans quelle attitude est représentée Marie ?
b. Comment appelle-t-on le cercle de rayons qui entoure sa tête ?
Que signifie-t-il ?

20 Comment l'artiste a-t-il signalé que certains personnages parlent ?

21 Expliquez la présence des deux animaux au second plan.

Lexique de la Bible

Apocalypse. Vient du grec *apocalypsis*, qui signifie « révélation ». *L'Apocalypse* est le dernier livre du Nouveau Testament attribué à l'évangéliste Jean qui décrit des apparitions terribles annonçant des cataclysmes et des métamorphoses.

Apôtre. Vient du grec *apostolos*, qui signifie « envoyé » ; on appelle ainsi les douze plus proches compagnons de Jésus, chargés par lui de répandre son message à travers le monde.

Araméen. Langue proche de l'hébreu, utilisée comme langue commune par les Égyptiens et les Assyriens, puis parlée en Palestine au temps de Jésus.

Athée. Personne qui ne croit pas en l'existence d'un dieu.

Babylone. Ville fondée par les Sumériens sur l'Euphrate. Ses jardins suspendus étaient une des sept merveilles du monde. Dans la Bible, Babylone est représentée comme la capitale des païens et la ville ennemie de Dieu : elle est l'opposé de Jérusalem.

Chrétien. Personne qui appartient à l'une des religions fondées sur l'enseignement de Jésus appelé Christ (voir Christianisme).

Christianisme. Religion fondée sur la foi en Jésus-Christ, fils de Dieu fait homme, mort et ressuscité pour que les hommes aient la vie éternelle. Le christianisme s'est divisé au fil des siècles en plusieurs religions nées de différentes interprétations du Nouveau Testament : religions catholique, protestante, orthodoxe.

Coran. Livre saint des musulmans, écrit entre 634 et 644 par les disciples de Mahomet. Commerçant à La Mecque, en Arabie, Mahomet reçut de l'ange Gabriel la révélation de l'existence d'un dieu unique, Allah. Il fit le récit *(al-koran)* de cet événement autour de lui. Mahomet se présente comme le dernier des prophètes après Adam, Abraham, Moïse et Jésus.

Disciple. Personne qui suit l'enseignement d'un maître (de Jésus, dans le Nouveau Testament).

Évangile. Ce mot vient du grec *euangelion*, qui signifie « Bonne Nouvelle ». Les *Évangiles* (voir p. 46) constituent un témoignage sur les paroles et les actions de Jésus. Ils apportent au monde la « Bonne Nouvelle » de la venue du Fils de Dieu parmi les hommes.

Judaïsme. La plus ancienne des trois religions monothéistes, fondée sur le respect de la Loi (la Torah) révélée par Dieu à Moïse.

Juif. Personne qui respecte les commandements et les interdits du judaïsme.

Monothéiste. Personne qui croit en un Dieu unique (différent de polythéiste, qui croit en plusieurs dieux).

Païen. Dans la Bible, ce mot désigne celui qui croit en plusieurs dieux.

Deuxième partie

Odyssée

Homère

Introduction

Homère
et l'« Odyssée »

L'auteur

Qui ne connaît pas Homère ? De même que ses deux œuvres, l'*Iliade*
et l'*Odyssée*, ont survécu à la disparition des civilisations antiques,
de même sa silhouette familière surgit de la nuit des temps : il nous
apparaît comme un vieil aède* barbu et chenu, un de ces poètes itiné-
rants qui composaient puis récitaient ou chantaient leurs textes de
ville en ville devant des auditoires attentifs, en s'accompagnant de la
lyre ou de la cithare. La légende lui a aussi donné les traits d'un vieillard
aveugle, les yeux fermés au monde extérieur, comme pour mieux voir
dans son esprit les personnages et les tableaux nés de son imagination. Il était considéré comme un homme exceptionnel, inspiré par
les dieux et vénéré presque à leur égal, au point que sept villes se
disputèrent l'honneur de l'avoir vu naître. De fait, on n'est pas plus
sûr des lieux que de l'époque où il vécut : dans l'île de Chios, sans
doute, entre 850 et 750 av. J.-C., ce qui n'est guère précis. On a même
douté de son existence et envisagé que plusieurs auteurs avaient
pu écrire l'*Iliade* et l'*Odyssée*, ces deux immenses poèmes aux visages
si différents.

Les œuvres

Qu'importe où, quand et par qui furent composées l'*Iliade* et l'*Odyssée*.
Dès leur naissance, elles prirent une place gigantesque dans le monde
grec : au VIIe siècle av. J.-C., des monuments s'ornaient de scènes
qui en étaient tirées et, à partir du VIe siècle, des extraits des deux
poèmes étaient récités chaque année en public lors des Panathénées,
la plus grande fête athénienne. Loin de les considérer comme de
simples récits d'aventures ou d'admirer seulement la beauté de leurs
vers, les Grecs les ont vénérés pendant longtemps comme des livres
sacrés, base et point de départ de toute science, de toute poésie,
de toute philosophie.

L'histoire

Aujourd'hui encore, l'*Iliade* et l'*Odyssée* restent des monuments impressionnants de la littérature, déjà par le nombre de leurs vers : l'Iliade en compte 15 000, l'*Odyssée*, plus de 12 000.

Ce sont deux épopées, ou poèmes épiques, c'est-à-dire des textes qui racontent des événements historiques, essentiellement des exploits guerriers, transfigurés par la légende.

Le sujet de l'*Iliade* et de l'*Odyssée* remonte à des temps très lointains, bien antérieurs à l'époque d'Homère, aux temps de la guerre meurtrière qui opposa les chefs grecs, appelés aussi Achéens*, au roi de la ville de Troie (voir carte p. 148) et à ses alliés. Si la date officielle de la prise de Troie, en 1183 av. J.-C., semble fausse, les découvertes archéologiques reconnaissent l'existence d'une guerre plus ancienne, vers 1400 av. J.-C. Les fouilles de Schliemann, à partir de 1870, ont permis de retrouver à Hissarlik, dans l'actuelle Turquie, les vestiges d'une puissante cité détruite par le feu vers la fin de l'Âge de bronze. En Grèce, les recherches ont mis au jour les traces d'une civilisation brillante à Mycènes entre le XVIe et le XIIIe siècle, visible dans ses tombes royales, riches d'objets en or. Ici et là vivaient les vrais héros* d'Homère.

La légende

Les raisons de la guerre se sont perdues au cours des siècles ; mais la légende a comblé les lacunes et donné à cet affrontement des motifs maintenant inoubliables... Une femme, Hélène, à la beauté inouïe, fut la cause de tout. Quand Pâris*, le fils du roi de Troie, l'eut enlevée à son mari Ménélas et emmenée loin de la ville grecque de Sparte, les chefs achéens organisèrent une expédition contre les Troyens et assiégèrent leur ville. La guerre dura dix ans, puis Troie fut prise et incendiée, ses habitants massacrés ou réduits en esclavage, Hélène rendue à son époux. Les rois grecs, qui avaient survécu, s'en retournèrent alors chez eux.

---

* Les noms suivis d'un astérisque renvoient au lexique des textes de l'Antiquité grecque et romaine, page 158.

L'*Odyssée*

Si l'*Iliade* raconte un épisode de ces combats sanglants qui eurent lieu devant Troie appelée aussi Ilion (d'où le titre du poème), l'*Odyssée* s'intéresse plus particulièrement à l'un des chefs achéens, le roi d'Ithaque Odusseus, qui a donné son nom à l'œuvre mais que l'on connaît mieux sous le nom d'Ulysse. Alors que les autres rois regagnaient leurs palais sans incidents pour la plupart, le malheureux Ulysse allait errer dix ans sur la mer, poursuivi par la haine du dieu Poséidon, risquant la mort à tout moment, avant de retrouver Ithaque, son île natale (voir carte, p. 148), son fils Télémaque et sa femme, la fidèle Pénélope. L'*Odyssée* est l'histoire de ce difficile retour.

• Le temps du récit

Le récit ne commence pas au départ de Troie, mais quelques semaines seulement avant l'arrivée du héros à Ithaque, au cours de la dixième année de sa navigation. Au début du livre, le lecteur se retrouve plongé en pleine action, au moment où la nymphe Calypso, amoureuse d'Ulysse qu'elle retenait prisonnier depuis sept ans, accepte enfin de le laisser partir. C'est lors de sa dernière escale, chez Alkinoos, le roi des Phéaciens, qu'Ulysse raconte, à la première personne, toutes ses aventures passées dans un long retour en arrière.

• Le lieu du récit

L'action se déroule donc en plusieurs lieux, dans les pays différents où aborde le héros, mais aussi à Ithaque où, en l'absence d'Ulysse, des jeunes gens arrogants se sont installés dans son palais, dilapidant sa fortune en fêtes et banquets, complotant contre son fils et surtout prétendant au trône et à la main de sa femme.

• La composition du récit

L'*Odyssée* est un long poème constitué de vingt-quatre chants :
– les quatre premiers (I à IV) racontent un voyage de Télémaque, le fils d'Ulysse, à Pylos et à Lacédémone pour essayer d'obtenir des nouvelles de son père, absent depuis vingt ans ;
– les quatre chants suivants (V à VIII) décrivent l'intervention des dieux auprès de la nymphe* Calypso pour la convaincre de laisser partir Ulysse. Elle obéit. Ulysse part sur un radeau, mais Poséidon

déchaîne une terrible tempête qui le rejette sur le rivage des Phéaciens où Alkinoos, leur roi, lui offre l'hospitalité ;

– les chants IX à XII sont le récit des aventures d'Ulysse entre le départ de Troie et l'arrivée chez Calypso ;

– les douze autres chants (XIII à XXIV) rapportent comment Ulysse, son récit terminé, est reconduit à Ithaque par les Phéaciens. Ils mettent en scène la terrible vengeance du héros contre les prétendants et ses retrouvailles avec Pénélope, sa femme, et ses proches.

Les principaux dieux grecs et romains

Noms grecs	Noms romains	Fonctions	Attributs Animaux consacrés
Aphrodite	Vénus	Déesse de la beauté et de l'amour.	• Pavot, grenade • Colombe
Apollon	Phébus (Apollon)	Dieu de la musique et de la poésie, de la divination et de la guérison. Il est souvent identifié au dieu du soleil.	• Laurier, lyre, arc et flèches
Arès	Mars	Dieu de la guerre.	• Vautour, chien
Artémis	Diane	Déesse de la chasse. Sœur jumelle d'Apollon, elle est parfois identifiée à la lune comme son frère au soleil.	• Arc et flèches • Biche
Athéna (Pallas)	Minerve	Déesse de l'intelligence, de la sagesse, de la force raisonnable.	• Olivier • Chouette
Déméter	Cérès	Déesse de la terre et des moissons.	• Épi
Dionysos	Bacchus	Dieu de la vigne, du vin et de l'inspiration poétique.	• Grappe de raisin, thyrse • Panthère
Hadès	Pluton	Dieu des morts et du monde souterrain. Il règne sur les Enfers avec sa femme Perséphone (Proserpine).	• Corne d'abondance, casque d'invisibilité
Héphaïstos	Vulcain	Dieu du feu, des métaux et de la forge. Inventeur génial, il a ses ateliers dans les volcans.	• Marteau et enclume
Héra	Junon	Épouse de Zeus (Jupiter), déesse du mariage.	• Paon
Hermès	Mercure	Messager des dieux, dieu des commerçants et des voleurs, protecteur des voyageurs.	• Caducée (bâton où s'enroulent 2 serpents), sandales ailées
Hestia	Vesta	Déesse du foyer, protectrice de la maison.	
Poséidon	Neptune	Dieu de la mer et des tempêtes. Il provoque les tremblements de terre et fait jaillir les sources.	• Trident • Cheval
Zeus	Jupiter	Roi des dieux, dieu du ciel et de la foudre. Il maintient l'ordre et la justice du monde.	• Foudre • Aigle

Texte 7

La tempête

Depuis son départ de Troie, Ulysse a connu de nombreuses aventures au cours desquelles il a perdu peu à peu tous ses hommes d'équipage. Seul à avoir échappé à la mort, il a été retenu pendant sept ans sur l'île d'Ogygie par la nymphe[1] Calypso, follement éprise de lui. Mais les dieux ont ordonné à la nymphe de relâcher son prisonnier : Ulysse construit donc un radeau et repart vers sa chère île, Ithaque. Pendant dix-sept jours, il navigue sans encombre ; soudain Poséidon (ou Posidon), le dieu de la mer, ennemi juré d'Ulysse, déchaîne une terrible tempête.

À peine avait-il dit qu'en volute[2], un grand flot le frappait : choc terrible ! le radeau capota : Ulysse au loin tomba hors du plancher ; la barre échappa de ses mains, et la fureur des vents, confondus en bourrasque, cassant le mât en deux, emporta
5 voile et vergue au loin, en pleine mer. Lui-même, il demeura longtemps enseveli, sans pouvoir remonter sous l'assaut du grand flot et le poids des habits que lui avait donnés Calypso la divine. Enfin il émergea de la vague ; sa bouche rejetait l'âcre écume dont ruisselait sa tête. Mais, tout meurtri, il ne pensa
10 qu'à son radeau : d'un élan dans les flots, il alla le reprendre, puis s'assit au milieu pour éviter la mort et laissa les grands flots l'entraîner çà et là au gré de leurs courants... Le Borée de l'automne emporte dans la plaine les chardons emmêlés en un dense paquet. C'est ainsi que les vents poussaient à l'aventure
15 le radeau sur l'abîme, et tantôt le Notos le jetait au Borée, tantôt c'était l'Euros qui le cédait à la poursuite du Zéphyr.

---

1. Divinité inférieure, souvent liée au monde de la nature.
2. En spirale.

Mais Ino[3] l'aperçut [...]. Elle prit en pitié l'angoisse du héros, jeté à la dérive ; sous forme de mouette, elle sortit de l'onde et, se posant au bord du radeau, vint lui dire :

20 INO. – Contre toi, pauvre ami, pourquoi cette fureur de l'Ébranleur du sol et les maux qu'en sa haine, te plante Posidon[4] ? Sois tranquille pourtant ; quel que soit son désir, il ne peut t'achever. Mais écoute-moi bien : tu parais plein de sens[5]. Quitte ces vêtements ; laisse aller ton radeau où l'em-
25 portent les vents, et te mets à la nage ; tâche, à force de bras, de toucher au rivage de cette Phéacie, où t'attend le salut[6]. Prends ce voile divin ; tends-le sur ta poitrine ; avec lui, ne crains plus la douleur ni la mort. Mais lorsque, de tes mains, tu toucheras la rive, défais-le, jette-le dans la vague vineuse,
30 au plus loin vers le large, et détourne la tête !

À peine elle avait dit que, lui donnant le voile, elle se replongeait dans la vague écumante, pareille à la mouette, et le flot noir couvrait cette blanche déesse. Le héros d'endurance[7], Ulysse le divin, restait à méditer.

35 Son esprit et son cœur ne savaient que résoudre, quand l'Ébranleur du sol souleva contre lui une vague terrible, dont la voûte de mort vint lui crouler dessus... Sur la paille entassée, quand se rue la bourrasque, la meule s'éparpille aux quatre coins du champ ; c'est ainsi que la mer sema les longues poutres.
40 Ulysse alors monta sur l'une et l'enfourcha comme un cheval de course, puis quitta les habits que lui avait donnés Calypso la divine ; sous sa poitrine, en hâte, il étendit le voile et la tête en avant, se jetant à la mer, il ouvrit les deux mains pour se mettre à nager. [...]

---

3. Divinité marine.
4. Raccourci poétique pour désigner Poséidon.
5. Réfléchi, sensé.
6. Où tu seras sauvé.
7. Résistance physique.

Ulysse dérive pendant deux jours et deux nuits. Le troisième jour, il aperçoit enfin la terre.

45 Il nageait, s'élançait pour aller prendre pied... Il n'était déjà plus qu'à portée de la voix : il perçut le ressac qui tonnait sur les roches ; la grosse mer grondait sur les sèches[8] du bord : terrible ronflement ! tout était recouvert de l'embrun des écumes, et pas de ports en vue, pas d'abri, de refuge !... rien
50 que des caps pointant leurs rocs et leurs écueils !

Ulysse alors, sentant ses genoux et son cœur se dérober[9], gémit en son âme vaillante :

ULYSSE. – Malheur à moi ! quand Zeus rend la terre à mes yeux, contre toute espérance, lorsque j'ai réussi à franchir
55 cet abîme, pas une cale[10] en vue où je puisse sortir de cette mer d'écumes ! Ce n'est, au long du bord, que pointes et rochers, autour desquels mugit le flot tumultueux ; par-derrière, un à-pic de pierre dénudée ; devant, la mer sans fond ; nulle part, un endroit où planter mes deux pieds pour éviter la mort !...
60 Que j'essaie d'aborder : un coup de mer m'enlève et va me projeter contre la roche nue ; tout élan sera vain !... [...]

Son esprit et son cœur ne savaient que résoudre : un coup de mer le jette à la roche d'un cap. Il aurait eu la peau trouée, les os rompus, sans l'idée qu'Athéna, la déesse aux yeux pers[11],
65 lui mit alors en tête. En un élan, de ses deux mains, il prit le roc : tout haletant, il s'y colla, laissant passer sur lui l'énorme vague. Il put tenir le coup ; mais, au retour, le flot l'assaillit, le frappa, le remporta au large... Aux suçoirs[12] de la pieuvre, arrachée de son gîte, en grappe les graviers demeurent atta-
70 chés. C'est tout pareillement qu'aux pointes de la pierre, était restée la peau de ses vaillantes mains. Le flot l'ensevelit. Là,

---

8. Rocher qui est à sec à marée basse.
9. Faiblir.
10. Bassin abrité.

11. Gris-vert.
12. Ventouses.

c'en était fini du malheureux Ulysse ; il devançait le sort, sans la claire pensée que lui mit en l'esprit l'Athéna aux yeux pers. Quand il en émergea, le bord grondait toujours ; à la nage, il

75 longea la côte et, les regards vers la terre, il chercha la pente d'une grève et des anses de mer. Il vint ainsi, toujours nageant, devant un fleuve aux belles eaux courantes, et c'est là que l'endroit lui parut le meilleur : la plage était sans roche, abritée de tout vent.

80   Il reconnut la bouche[13] et pria dans son âme :

ULYSSE. – Écoute-moi, seigneur, dont j'ignore le nom ! je viens à toi, que j'ai si longtemps appelé, pour fuir hors de ces flots Posidon et sa rage ! Les Immortels aussi n'ont-ils pas le respect d'un pauvre naufragé, venant, comme aujourd'hui je viens à

85 ton courant, je viens à tes genoux, après tant d'infortunes ? Accueille en ta pitié, seigneur, le suppliant qui, de toi, se réclame !

Il dit : le dieu du fleuve suspendit son courant, laissa tomber sa barre[14] et, rabattant la vague au-devant du héros, lui offrit

90 le salut sur sa grève avançante. Les deux genoux d'Ulysse et ses vaillantes mains retombèrent inertes : les assauts de la vague avaient rompu son cœur ; la peau de tout son corps était tuméfiée[15] ; la mer lui ruisselait de la bouche et du nez ; sans haleine et sans voix, il était étendu, tout près de défaillir sous l'hor-

95 rible fatigue. Mais il reprit haleine ; son cœur se réveilla ; alors, de sa poitrine, il détacha le voile, qu'il lâcha dans le fleuve et la vague mêlés ; un coup de mer vint l'emporter au fil de l'eau, et tout de suite Ino dans ses mains le reçut.

Extrait du chant V, 313-375 ; 399-416 ; 424-462.

---

13. Embouchure du fleuve. | **15.** Abîmée, meurtrie.
14. Passage difficile à l'entrée du fleuve.

Questions

Repérer et analyser

Le narrateur

> Le narrateur est celui qui raconte l'histoire. Identifier le statut du narrateur, c'est dire s'il est ou non personnage de l'histoire. S'il est personnage de l'histoire, il mène le récit à la première personne, s'il est extérieur à l'histoire, il mène le récit à la troisième personne.

1 Identifiez le statut du narrateur.

Les prises de parole des personnages

2 Repérez les passages dans lesquels le narrateur donne la parole directement aux personnages. Qui parle ?

La progression du récit et les forces en présence

> L'épopée met en scène un héros aux prises avec des forces qui le dépassent : forces naturelles (tempête…), forces surnaturelles (intervention des dieux).

3 Dans quelle situation Ulysse se trouve-t-il ? Quelles sont les principales actions qui s'enchaînent ? Appuyez-vous sur le champ lexical de la tempête et relevez quelques verbes d'action.

4 Quel dieu s'acharne contre Ulysse ? Par quelle expression est-il aussi désigné ? En vous aidant du tableau des dieux, expliquez ce surnom.

5 À la fin du premier paragraphe, retrouvez quatre noms de vents. Quelle est la direction de chacun d'eux, d'après ce dessin ?

6 Sous quelle forme Ino apparaît-elle à Ulysse ? Quel objet magique lui propose-t-elle ? Citez le texte à l'appui de votre réponse.

7 Quelle autre déesse vient au secours d'Ulysse à deux reprises ? De quelle façon ?

8 Quel dieu se montre bienveillant envers le malheureux naufragé ?

Un personnage : Ulysse

9 Relevez toutes les phrases où Ulysse apparaît en danger de mort.

10 Montrez, en vous appuyant sur le texte, combien il a été malmené par les éléments déchaînés (l. 62 à 98).

11 De quelles qualités Ulysse fait-il preuve devant le danger ? En quoi se conduit-il en héros ?

12 Ulysse a parfois les faiblesses d'un homme ordinaire : à quels moments le voit-on ?

La langue d'Homère

L'expression de l'oralité

Les poésies épiques étaient d'abord en Grèce des poésies orales que les aèdes (poètes) apprenaient et se transmettaient sans aucun support écrit. Quand les récits de l'*Iliade* et de l'*Odyssée* se fixent, les œuvres conservent des traces de ce caractère oral. On constate en particulier que le moment où les personnages parlent est nettement marqué au début et à la fin par des expressions comme : « il dit », « il disait », « à peine avait-il dit », etc., qui servaient à signaler à l'auditeur qu'un personnage allait prendre la parole ou venait de s'exprimer.

13 Relevez les expressions qui indiquent le début ou la fin du discours d'un personnage.

Les épithètes homériques

Quand l'épopée était orale, de nombreuses expressions toutes faites étaient répétées : elles permettaient de reposer l'attention de l'auditeur et la mémoire du récitant et d'identifier sans effort les personnages. Ainsi, dans le texte écrit, on retrouve sans cesse les mêmes expressions qui qualifient les mêmes personnages ou les mêmes objets : on les appelle des épithètes homériques. Exemples : « Ulysse aux mille tours » ; « la déesse aux belles boucles ».

14 Retrouvez deux exemples d'épithètes homériques (l. 71 à 79).

15 Expliquez l'expression : « la vague vineuse » (l. 29).

Les comparaisons

> Dans l'épopée, les comparaisons sont très nombreuses. Une comparaison est une figure de style qui rapproche deux éléments, le comparé (mot que l'on compare) et le comparant (mot auquel on compare) à partir d'un point commun. La comparaison est introduite par un outil de comparaison (comme, tel, sembler…).

16 Relevez, dans le texte, deux comparaisons et analysez-les (dites quel est le comparé, le comparant, l'outil de comparaison, le point commun).

Se documenter

L'épopée

L'*Iliade* et l'*Odyssée* mettent en scène les exploits exceptionnels d'hommes bien supérieurs par leur force, leur courage ou leur intelligence à l'humanité ordinaire. On appelle ces surhommes des héros. Ce ne sont pas des dieux car ils ne sont pas immortels mais ils sont au-dessus du commun des mortels*. En effet, ils subissent des épreuves qui seraient insurmontables aux autres hommes mais qu'eux seuls sont capables d'affronter et le plus souvent de dépasser.

L'épopée place ses héros dans un monde mi-réel mi-féerique où ils peuvent rencontrer des monstres et des magiciens. Ils évoluent dans un univers régi par des forces redoutables, où les dieux interviennent sans cesse dans les affaires humaines.

Dans l'*Odyssée*, les dieux apparaissent aux hommes sous la forme d'un animal ou d'une personne, connue ou inconnue. Parfois ils inspirent aux héros des idées ingénieuses pour se tirer d'un péril.

Texte 8

Ulysse et le Cyclope

Ulysse est ensuite recueilli par Nausicaa, la fille d'Alkinoos, le roi des Phéaciens. Elle le conduit au palais de son père. À la cour du roi, Ulysse révèle son identité et raconte ses aventures depuis son départ de Troie.

[Polyphème, « un cœur sans pitié »][1]

Ulysse arrive chez des géants que l'on appelle « Cyclopes » ou « Yeux Ronds » parce qu'ils ont un seul œil au milieu du front. Ulysse rencontre l'un d'eux, Polyphème, le fils de Poséidon, à qui il demande l'hospitalité au nom des dieux.

Je disais, et ce cœur sans pitié ne dit mot. Mais, sur mes compagnons s'élançant, mains ouvertes, il en prend deux ensemble et, comme petits chiens, il les rompt contre terre : leurs cervelles, coulant sur le sol, l'arrosaient ; puis, membre
5 à membre, ayant déchiqueté leurs corps, il en fait son souper ; à le voir dévorer, on eût dit un lion, nourrisson des montagnes ; entrailles, viandes, moelle, os, il ne laisse rien. Nous autres, en pleurant, tendions les mains vers Zeus !... voir cette œuvre d'horreur !... se sentir désarmé !...
10 Quand enfin le Cyclope a la panse remplie de cette chair humaine et du lait non mouillé qu'il buvait par-dessus, il s'allonge au milieu de ses bêtes[2] dans l'antre. Alors je prends conseil de mon cœur valeureux[3] : vais-je, au long de ma cuisse, tirer mon glaive[4] à pointe et, lui courant dessus, le lui planter
15 au ventre, juste au point où le foie pend sous le diaphragme ?

---

1. Pour plus de clarté, c'est nous qui
avons introduit les titres entre crochets.
2. Son troupeau de moutons.

3. Courageux, vaillant, brave.
4. Épée.

ma main saura tâter !... Une idée me retint : enfermés avec
lui, nous périssions encore ; la mort était sur nous, car l'énorme
rocher dont le Cyclope avait bouché sa haute porte, jamais
nos bras, à nous, n'auraient pu l'enlever.

20   En gémissant, nous attendons l'aube divine. Dans son
berceau de brume, aussitôt que paraît l'Aurore aux doigts de
roses, il ranime le feu, puis il trait d'affilée ses bêtes magnifiques et lâche le petit sous le pis de chacune. Ce travail achevé
– et ce ne fut pas long –, il prend encore deux de mes gens[5]
25   pour déjeuner et, quand il a mangé, il fait sortir de l'antre
toutes ses bêtes grasses. Sans effort, il avait ôté le grand portail
que, vite, il replaça : on eût dit qu'il mettait la valve d'un
carquois. Puis, criant et sifflant, il emmène ses gras moutons
vers la montagne.

30   Il nous avait quittés. Je roulais la vengeance au gouffre de
mon cœur ; or voici le projet que je crus le plus sage. Le Cyclope
avait là, contre l'un de ses parcs, une grosse massue : c'était
un olivier qu'il avait cassé vert pour le porter bien sec. Lorsque
nous l'avions vu, nous l'avions comparé au mât d'un noir vais-
35   seau, d'un de ces gros transports à vingt bancs de rameurs,
qui peuvent traverser le grand gouffre des mers : c'était même
longueur, à l'œil, même grosseur... Je me lève et je vais en couper
une brasse, que je passe à mes gens pour en ôter les nœuds.

Quand ils l'ont bien poli, j'en viens tailler la pointe ; je la
40   mets à durcir dans le feu que j'active ; je cache enfin ce pieu
au profond du fumier, dont l'épaisse litière recouvrait tout le
sol de la grande caverne. Je fais alors tirer au sort ceux de mes
gens qui, partageant mon risque et soulevant le pieu, s'en iront
le planter et tourner dans son œil, sitôt que nous verrons sur
45   lui le doux sommeil. Le sort désigne ceux que moi-même aurais
pris ; ils étaient quatre, et moi, je m'enrôle en cinquième.

| **5.** Mes compagnons, mes hommes.

Questions

Repérer et analyser

Le narrateur (l. 1 à 19)

1 **a.** Quel pronom désigne Ulysse ? Quel pronom le désignait dans le texte précédent ?

b. Qui est le narrateur dans ce récit ?

La progression du récit

2 Dans quelle situation Ulysse et ses compagnons se trouvent-ils ?

3 Quelles sont les occupations du Cyclope, le matin ?

4 Quel objet Polyphème a-t-il laissé chez lui et à quoi est-il comparé ?

5 Quelles sont les principales actions qui s'enchaînent ?

Les personnages (l. 1 à 19)

Le Cyclope

6 Quelle image est donnée du Cyclope ? Pour répondre :

a. Relevez l'expression qui le désigne.

b. Dites à quel animal est comparé le Cyclope ; et ses victimes. Justifiez le choix de ces comparaisons.

c. Dites quel est le champ lexical dominant dans les lignes 1 à 7.

Ulysse et ses compagnons

7 **a.** Quels sentiments les personnages éprouvent-ils face au Cyclope (l. 1 à 8) ?

b. Quel sentiment Ulysse éprouve-t-il après son départ (l. 30 à 46) ? Citez le texte.

8 En quoi le projet d'Ulysse consiste-t-il ? Appuyez-vous sur le texte. De quelle qualité Ulysse fait-il preuve ?

La langue d'Homère

9 Quelle déesse ranime le jour ? Relevez puis expliquez l'épithète homérique qui la caractérise. (Voir p. 60.)

[La ruse d'Ulysse]

Il rentre vers le soir, ramenant son troupeau à la fine toison. Mais, sous la grande voûte, il pousse ce jour-là toutes ses bêtes grasses ; dans le creux de la cour, il n'en laisse pas une : avait-il son idée ?... fut-ce l'ordre d'un dieu ?...

Avec son rocher, qu'il lève et met debout, il a bouché l'entrée. Il s'assied et se met à traire d'affilée tout son troupeau bêlant de brebis et de chèvres, puis lâche le petit sous le pis de chacune. Ce travail achevé, et ce ne fut pas long, il prend encor pour son souper deux de mes gens. [...]

Ulysse met en place son stratagème. Il offre du vin à Polyphème, qui est bientôt ivre. Le Cyclope demande alors son nom à Ulysse et lui promet un cadeau.

ULYSSE. – Tu veux savoir mon nom le plus connu, Cyclope ? je m'en vais te le dire ; mais tu me donneras le présent annoncé. C'est Personne, mon nom : oui ! mon père et ma mère et tous mes compagnons m'ont surnommé Personne.

Je disais ; mais ce cœur sans pitié me répond :

POLYPHÈME. – Eh bien ! je mangerai Personne le dernier, après tous ses amis ; le reste ira devant, et voilà le présent que je te fais, mon hôte !

Il se renverse alors et tombe sur le dos... Bientôt nous le voyons ployer son col énorme, et le sommeil le prend, invincible dompteur. Mais sa gorge rendait du vin, des chairs humaines, et il rotait, l'ivrogne ! J'avais saisi le pieu ; je l'avais mis chauffer sous le monceau des cendres ; je parlais à mes gens pour les encourager : si l'un d'eux, pris de peur, m'avait abandonné !...

Quand le pieu d'olivier est au point de flamber, – tout vert qu'il fut encore, on en voyait déjà la terrible lueur –, je le tire du feu ; je l'apporte en courant ; mes gens, debout, m'entourent :

un dieu les animait d'une nouvelle audace. Ils soulèvent
75 le pieu : dans le coin de son œil, ils en fichent[6] la pointe. Moi,
je pèse d'en haut et je le fais tourner... Vous avez déjà vu percer
à la tarière[7] des poutres de navire, et les hommes tirer et tendre
la courroie, et l'un peser d'en haut, et la mèche virer, toujours
en même place ! C'est ainsi qu'en son œil, nous tenions et tour-
80 nions notre pointe de feu, et le sang bouillonnait autour du
pieu brûlant : paupières et sourcils n'étaient plus que vapeurs
de la prunelle en flammes, tandis qu'en grésillant, les racines
flambaient... Dans l'eau froide du bain qui trempe le métal,
quand le maître bronzier plonge une grosse hache ou bien une
85 doloire[8], le fer crie et gémit. C'est ainsi qu'en son œil, notre
olivier sifflait... Il eut un cri de fauve. La roche retentit. Mais
nous, épouvantés, nous étions déjà loin.

Il s'arrache de l'œil le pieu trempé de sang. Il le rejette au
loin, de ses mains en délire. Il appelle à grands cris ses voisins,
90 les Cyclopes, qui, dans le vent de la falaise, ont leurs cavernes.
Ils entendent son cri ; de partout, ils s'empressent. Ils étaient
là debout, tout autour de la grotte, voulant savoir sa peine :

LE CHŒUR. – Polyphème, pourquoi ces cris d'accable-
ment[9] ?... pourquoi nous réveiller en pleine nuit divine ?...
95 serait-ce ton troupeau qu'un mortel vient te prendre ?... est-
ce toi que l'on tue par la ruse ou la force ?

De sa plus grosse voix, Polyphème criait du fond de la
caverne :

POLYPHÈME. – La ruse, mes amis ! la ruse ! et non la force !...
100 et qui me tue ? Personne !

Les autres de répondre avec ces mots ailés :

LE CHŒUR. – Personne ?... contre toi, pas de force ?... tout
seul ?... c'est alors quelque mal qui te vient du grand Zeus, et
nous n'y pouvons rien : invoque Poséidon, notre roi, notre père !

---

6. Plantent, enfoncent.
7. Instrument qui sert à percer le bois.

8. Sorte de hache.
9. Désespoir, immense peine.

105   À ces mots, ils s'en vont, et je riais tout bas : c'est mon nom
de Personne et mon perçant esprit qui l'avaient abusé[10].

Gémissant, torturé de douleurs, le Cyclope, en tâtonnant
des mains, était allé lever le rocher du portail, puis il s'était
assis en travers de l'entrée, les deux mains étendues pour nous
110   prendre au passage, si nous voulions sortir dans le flot des
moutons : il attendait de moi pareil enfantillage !... Je songeais
au moyen de nous arracher tous, mes compagnons et moi, aux
prises de la mort, et, ruses et calculs, je mettais tout en œuvre,
notre vie se jouait ; le désastre était proche...

115   Et voici le projet que je crus le plus sage. Ses béliers étaient
là, des mâles bien nourris, à l'épaisse toison[11]. Sans bruit, avec
l'osier, qui servait de coucher[12] à ce monstre infernal, j'avais
fait des liens. J'attache les béliers ensemble, trois par trois : la
bête du milieu portait l'un de mes gens ; les autres la flan-
120   quaient[13] pour mieux cacher mes hommes, dont le poids reposait ainsi sur le trio. Il me restait, à moi, le bélier le plus fort.
Je le prends par les reins, puis, coulé sous son ventre, je m'allonge en sa laine, et je reste pendu, tordant à pleines mains sa
toison merveilleuse : rien ne lasse mon cœur...

Extraits du chant IX, 287-344 ; 364-435.

| **10.** Trompé. | **11.** Laine. | **12.** Lit. | **13.** Entouraient.

Questions

Repérer et analyser

La progression du récit

1 **a.** Quel nom Ulysse se donne-t-il ?
b. En quoi ce choix est-il habile et sert-il sa ruse ?
2 Que devient le Cyclope ? Montrez qu'Ulysse a inversé les rôles.
Appuyez-vous sur le texte pour répondre.
3 Quelle dernière difficulté Ulysse doit-il surmonter ? Expliquez
comment il y parvient.

Les personnages

Polyphème
4 **a.** Relevez, dans cet extrait, les expressions qui soulignent le
gigantisme et l'aspect terrifiant du personnage.
b. Combien d'hommes a-t-il dévorés en tout ?
5 Qu'offre Polyphème à Ulysse en échange de son vin ?

Ulysse
6 Relisez les deux textes et résumez les mensonges et les strata-
gèmes employés par Ulysse pour venir à bout de Polyphème.
7 Dans cette sorte de duel qui les a opposés, les adversaires n'ont
pas combattu de la même façon.
a. Quelles ont été les armes d'Ulysse ? celles de Polyphème ?
b. Pourquoi le Cyclope a-t-il perdu ?
8 Ulysse est aimé des dieux : montrez comment, à plusieurs reprises,
ils l'aident indirectement dans les deux textes.

La langue d'Homère

9 Ulysse compare sa terrible vengeance aux gestes de deux artisans différents (l. 71 à 87) : lesquels ?
10 Que signifie le mot « chœur » (l. 93) habituellement ?
Que représente-t-il ici ?

Étudier une image

Le Cyclope

11 Observez la mosaïque.

a. Qu'est-ce qu'une mosaïque ?

b. Où se trouve Polyphème ? Quelle est son occupation ?

c. Quel épisode du récit d'Homère a voulu représenter l'artiste et quelle grossière erreur a-t-il commise dans la représentation de Polyphème ? En quoi cette erreur rend-elle impossible la ruse d'Ulysse ?

Mosaïque de Piazza Armerina, IVᵉ siècle.

Texte 9
Circé

Ulysse et ses hommes parviennent à s'enfuir. Après diverses aventures, ils arrivent à Aiaiè, l'île de Circé la magicienne. Plusieurs compagnons sont envoyés en reconnaissance au palais de la déesse.

Elle accourt, elle sort, ouvre sa porte reluisante et les invite; et voilà tous mes fous ensemble qui la suivent!... Flairant le piège, seul, Euryloque[1] est resté... Elle les fait entrer; elle les fait asseoir aux sièges et fauteuils; puis, leur ayant battu dans
5 son vin de Pramnos du fromage, de la farine et du miel vert, elle ajoute au mélange une drogue[2] funeste, pour leur ôter tout souvenir de la patrie. Elle apporte la coupe; ils boivent d'un seul trait. De sa baguette, alors, la déesse les frappe et va les enfermer sous les tects[3] de ses porcs. Ils en avaient la tête et
10 la voix et les soies[4]; ils en avaient l'allure; mais, en eux, persistait leur esprit d'autrefois. Les voilà enfermés. Ils pleuraient et Circé leur jetait à manger faînes[5], glands et cornouilles[6], la pâture ordinaire aux cochons qui se vautrent.

Or, vers le noir croiseur[7], Euryloque rentré voulait nous
15 raconter le triste sort des autres. Mais il ne pouvait plus, quel qu'en fût son désir, proférer un seul mot: son âme était navrée d'un trop rude chagrin; ses yeux se remplissaient de larmes, et son cœur débordait de sanglots. Étonnés, nous tâchions de savoir, mais en vain... Il nous raconte enfin la perte de ses gens:
20 Euryloque. – Nous allions, noble Ulysse, où tu nous avais dit. Au-delà du maquis, nous trouvons en un val une belle

---

1. Beau-frère d'Ulysse.   4. Poils.   6. Fruits du cornouiller.
2. Potion magique.   5. Fruits du hêtre.   7. Navire.
3. Abris.

bâtisse et, dans le bruit d'un grand métier[8], nous entendons la fraîche voix d'une déesse ou d'une femme. Nos gens crient leur appel : elle accourt, elle sort, ouvre sa porte reluisante et
25 nous invite, et voilà tous mes fous ensemble qui la suivent ! Moi seul, j'étais resté ; j'avais flairé le piège... Leur troupe a disparu ; pas un n'est ressorti ; pourtant, je suis resté longtemps à les guetter.

Il disait : sur mon dos, je jette mon grand glaive en bronze
30 à clous d'argent et, par-dessus, mon arc, puis j'invite Euryloque à me montrer la route. Mais il prend à deux mains mes genoux, me supplie :

EURYLOQUE. – Ne me remmène pas, ô nourrisson de Zeus !... Je ne veux pas aller ! Je veux rester ici !... Je sais que, toi non
35 plus, tu ne reviendras pas ; tu ne nous rendras pas un seul de tous les autres ! Ah ! fuyons au plus vite avec ceux que voilà ; nous pourrions éviter encor le jour fatal.

À ces mots d'Euryloque, aussitôt je réponds :

ULYSSE. – Euryloque, tu peux ne pas bouger d'ici. Au flanc
40 du noir vaisseau, reste à manger et boire. Moi, je pars : le devoir impérieux est là.

Et je quitte, à ces mots, le navire et la mer.

Je venais de passer par le vallon sacré et j'allais arriver à la grande demeure de Circé la drogueuse, quand, près de la
45 maison, j'ai devant moi Hermès à la baguette d'or. Il avait pris les traits d'un de ces jeunes gens dont la grâce fleurit en la première barbe.

Il me saisit la main, me dit et me déclare :

HERMÈS. – Où vas-tu, malheureux, au long de ces coteaux ?...
50 tout seul, et dans ces lieux que tu ne connais pas ?... chez Circé, où tes gens transformés en pourceaux sont maintenant captifs au fond des soues[9] bien closes ?... Tu viens les délivrer ?...

| **8.** Métier à tisser. | **9.** Étables à cochons.

Tu n'en reviendras pas, crois-moi : tu resteras à partager leur
sort... Mais je veux te tirer du péril, te sauver. Tiens ! c'est l'herbe
55 de vie ! avec elle, tu peux entrer en ce manoir, car sa vertu t'évi-
tera le mauvais jour. Et je vais t'expliquer les desseins[10] de Circé
et tous ses maléfices. Ayant fait son mélange, elle aura beau
jeter sa drogue dans ta coupe : le charme en tombera devant
l'herbe de vie que je vais te donner. Mais suis bien mes conseils :
60 aussitôt que, du bout de sa longue baguette, Circé t'aura frappé,
toi, du long de ta cuisse, tire ton glaive à pointe et, lui sautant
dessus, fais mine de l'occire[11] !... Tremblante, elle voudra te
mener à son lit ; ce n'est pas le moment de refuser sa couche !
songe qu'elle est déesse, que, seule, elle a pouvoir de délivrer
65 tes gens et de te reconduire ! Mais fais-la te prêter le grand
serment des dieux[12] qu'elle n'a contre toi aucun autre dessein
pour ton mal et ta perte.

Ayant ainsi parlé, le dieu aux rayons clairs tirait du sol une
herbe, qu'il m'apprit à connaître, avant de la donner : la racine
70 en est noire, et la fleur, blanc de lait ; « molu » disent les dieux ;
ce n'est pas sans effort que les mortels l'arrachent ; mais les
dieux peuvent tout. Puis Hermès, regagnant le sommet de
l'Olympe, disparut dans les bois. Au manoir de Circé, j'en-
trais : que de pensées bouillonnaient dans mon cœur !

75 Sous le porche de la déesse aux belles boucles, je m'arrête
et je crie ; la déesse m'entend. Elle accourt à ma voix. Elle
sort et, m'ouvrant sa porte reluisante, elle m'invite, et moi, je
la suis en dépit du chagrin de mon cœur. Elle m'installe en un
fauteuil aux clous d'argent et, dans la coupe d'or dont je vais
80 me servir, elle fait son mélange : elle y verse la drogue, ah !
l'âme de traîtresse !... Elle me tend la coupe : d'un seul trait,
je bois tout...

---

10. Intentions, projets.
11. Tuer.

12. Serment sacré prêté par les dieux : si un dieu ne respectait
pas ce serment, il restait semblable à un mort pendant un an
et était exclu pendant neuf ans des assemblées des dieux.

Le charme est sans effet, même après que, m'ayant frappé
de sa baguette, elle dit et déclare :

85 CIRCÉ. – Maintenant, viens aux tects coucher près de tes
gens !

Elle disait ; mais moi, j'ai, du long de ma cuisse, tiré mon
glaive à pointe ; je lui saute dessus, fais mine de l'occire. Elle
pousse un grand cri, s'effondre à mes genoux, les prend, me
90 prie, me dit ces paroles ailées :

CIRCÉ. – Quel est ton nom, ton peuple, et ta ville et ta race ?...
Quel grand miracle ! quoi ! sans être ensorcelé, tu m'as bu cette
drogue !... Jamais, au grand jamais, je n'avais vu mortel résister
à ce charme, dès qu'il en avait bu, dès que cette liqueur avait
95 franchi ses dents : il faut qu'habite en toi un esprit invincible.
C'est donc toi qui serais l'Ulysse aux mille tours[13] !... Le dieu
aux rayons clairs, à la baguette d'or, m'avait toujours prédit
qu'avec son noir croiseur, il viendrait, cet Ulysse, à son retour
de Troie... Mais allons ! c'est assez : rentre au fourreau[14] ton
00 glaive et montons sur mon lit ; qu'unis sur cette couche et
devenus amants, nous puissions désormais nous fier l'un à
l'autre !

À ces mots de Circé, aussitôt je réponds :

ULYSSE. – Circé, comment peux-tu invoquer ma douceur ?
05 toi qui, dans ce manoir, fis de mes gens des porcs et qui,
m'ayant ici, ne veux que me trahir ! Quand tu me viens offrir
et ta chambre et ton lit, c'est pour m'avoir sans armes !... c'est
pour m'ôter ma force et ma virilité !... Non ! je n'accepterais
de monter sur ta couche que si tu consentais, déesse, à me jurer
10 le grand serment des dieux que tu n'as contre moi aucun autre
dessein pour mon mal et ma perte.

Je disais et, suivant mon ordre, elle jura.

Extrait du chant X, 230-345.

| **13.** Ruses. | **14.** Étui où se range l'épée.

Questions

Repérer et analyser

Le narrateur et la progression du récit

1 **a.** Qui le pronom « je » désigne-t-il ?
b. Quels différents personnages prennent la parole ?

2 **a.** Qu'utilise Circé pour exécuter sa magie (l. 1 à 13) ? Citez le texte.
b. En quel animal transforme-t-elle les compagnons d'Ulysse ?

3 **a.** Pourquoi Euryloque n'a-t-il pas été transformé comme ses compagnons ?
b. Relevez les mots qui expriment son désespoir (l. 14 à 19).
c. Pourquoi n'accompagne-t-il pas Ulysse chez Circé ?

4 Qui est Hermès (voir le tableau des dieux, p. 54) ? Quelle plante offre-t-il à Ulysse ? Recopiez la phrase qui la décrit. Quel est son pouvoir ?

5 Qu'offre Circé à Ulysse (l. 75 à 82) ? Celui-ci accepte-t-il tout de suite ? Pourquoi ?

6 En présence d'Ulysse, la magicienne change brusquement d'attitude : pourquoi ? Quelle phrase décrit ce revirement ?

Les personnages

Circé

7 **a.** Relevez les mots appartenant au champ lexical de la magie (l. 49 à 63).
b. Donnez un synonyme de l'adjectif « ensorcelé » (l. 92).

8 Circé a une « âme de traîtresse » (l. 81) : expliquez cette expression et justifiez-la.

Ulysse

9 De quelle qualité fait preuve Ulysse dans ce texte ? Justifiez votre réponse.

10 **a.** Pourquoi Hermès traite-t-il Ulysse de « malheureux » (l. 49) ?
b. Contre quoi met-il en garde Ulysse ?

La langue d'Homère

11 La poésie épique présente des expressions qui reviennent comme des refrains : trouvez des exemples de telles répétitions dans ce texte (l. 1 à 9 ; l. 20 à 28 ; l. 75 à 82).

12 Retrouvez des épithètes homériques qualifiant :
a. Circé ; **b.** Ulysse ; **c.** Hermès ; **d.** un objet.

13 « Ces paroles ailées » (l. 90) : comment comprenez-vous cette expression imagée ?

S'exprimer

14 Une magicienne aussi puissante que Circé vous transforme en objet ou animal de son choix : décrivez votre apparence et racontez votre existence sous cette nouvelle forme.

Se documenter

Les personnages féminins de l'*Odyssée*

La poésie épique est un univers essentiellement masculin, réservé aux exploits des guerriers. On croise pourtant dans l'*Odyssée* des personnages féminins dont la beauté éclatante et la forte personnalité sont restées célèbres.

Circé, la séductrice (voir le texte 9, p. 70).

Calypso, la généreuse (voir le texte 7, p. 55). Si la « nymphe bouclée » retient Ulysse malgré lui sur son île, la prison du héros est loin d'être sinistre : Calypso l'a installé dans sa grotte, « auprès de son foyer où flambait un grand feu. On sentait du plus loin le cèdre pétillant et le thuya, dont les fumées embaumaient l'île [...] Au rebord de la voûte, une vigne en sa force éployait ses rameaux, toute fleurie de grappes et près l'une de l'autre, en ligne, quatre sources versaient leur onde claire, puis leurs eaux divergeaient à travers des prairies molles, où verdoyaient persil et violettes » (V, 59-61 ; 68-73). Elle lui a offert son amour, l'immortalité et l'éternelle jeunesse. Il fallait vraiment être

attaché à sa patrie pour refuser de tels présents ! Le héros quittera Calypso, comblé de cadeaux : « une outre de vin noir, une plus grosse d'eau, et dans un sac de cuir des vivres pour la route, sans compter d'autres mets et nombre de douceurs » (V, 265-267), et surtout une tiède brise pour naviguer sans souci.

Nausicaa, la fière. La princesse phéacienne « aux beaux bras blancs » dont « l'air et la beauté semblent d'une Immortelle » croise brièvement la route d'Ulysse. Venue laver du linge avec ses servantes dans le fleuve près duquel Ulysse s'est endormi après la terrible tempête, elle se délasse de ce travail en jouant à la balle avec ses compagnes. Les cris réveillent Ulysse qui s'avance, blessé, nu, à peine dissimulé par des branchages. Effrayées par cette apparition, les jeunes filles s'enfuient, sauf Nausicaa : « Il ne resta que la fille d'Alkinoos. Athéna lui mettait dans le cœur cette audace et ne permettait pas à ses membres la peur. Debout elle fit tête » (VI, 139-141). Nausicaa ramène le héros au palais de son père, et le verra partir, quelques jours plus tard, avec un regret qu'elle n'ose pas avouer : « Bon voyage, notre hôte ! au pays de tes pères, quand tu seras rentré, garde mon souvenir ! » (XVIII, 461-462).

Pénélope, « la plus sage des femmes » (voir le texte 11, « La vengeance d'Ulysse », p. 84). L'épouse légitime d'Ulysse reste le symbole de l'amour conjugal et de la fidélité. Pendant vingt ans, elle attend et espère le retour de son mari, ne pouvant se résoudre à l'oublier dans un nouveau mariage. Sa beauté lui attire pourtant une foule de soupirants, installés de force dans son palais jusqu'à ce qu'elle se décide à épouser l'un d'eux. Homère a immortalisé le charme de « cette femme divine, ramenant sur ses joues ses voiles éclatants tandis que des prétendants les genoux flageolaient sous le charme d'amour » (XVIII, 208-210 ; 212). Mais Pénélope demeure surtout célèbre par ses ruses. Elle promet aux prétendants de se marier quand elle aura terminé l'ouvrage qu'elle tisse. Or, la nuit elle défait ce qu'elle a fait le jour. Trahie par ses servantes qui révèlent son stratagème, elle impose ensuite à ses prétendants le concours de l'arc. Jusqu'au bout, elle reste prudente au point qu'Ulysse devra faire la preuve de son identité avant qu'elle n'accepte de le serrer dans ses bras. Pénélope est bien digne d'Ulysse « aux mille tours » !

Texte 10

Les Sirènes – Charybde et Scylla

Circé se montre désormais loyale envers Ulysse. Sur ses conseils, le héros se rend au pays des Morts consulter l'âme du devin Tirésias pour s'assurer de son avenir. Elle l'avertit des dangers qui l'attendent et lui indique le moyen de les traverser sain et sauf.

Ulysse va d'abord longer le rivage des Sirènes, des monstres à tête de femme et à corps d'oiseau qui attirent, par leurs chants mélodieux, les marins sur des récifs : les navires s'y brisent et elles peuvent alors dévorer les cadavres. Puis Ulysse et ses compagnons devront passer entre deux terribles écueils qui abritent deux monstres : Charybde et Scylla.

ULYSSE. – Amis, je ne veux pas qu'un ou deux seulement connaissent les arrêts[1] que m'a transmis Circé, cette toute divine. Non !... Je veux tout vous dire, pour que, bien avertis, nous allions à la mort ou tâchions d'éviter la Parque[2] et le
5 trépas. Donc, son premier conseil est de fuir les Sirènes, leur voix ensorcelante et leur prairie en fleurs ; seul, je puis les entendre ; mais il faut que, chargé de robustes liens, je demeure immobile, debout sur l'emplanture[3] serré contre le mât, et si je vous priais, si je vous commandais de desserrer les nœuds,
10 donnez un tour de plus !

Je dis et j'achevais de prévenir mes gens, tandis qu'en pleine course, le solide navire que poussait le bon vent s'approchait

---

1. Avertissements, ordres.
2. Une des trois déesses de la mort, qui filent, dévident et coupent le fil de la vie des humains.
3. Base du mât.

des Sirènes. Soudain, la brise tombe ; un calme sans haleine
s'établit sur les flots qu'un dieu vient endormir. Mes gens se
15 sont levés ; dans le creux du navire, ils amènent la voile et, s'as-
seyant aux rames, ils font blanchir le flot sous la pale[4] en sapin.

Alors, de mon poignard en bronze, je divise un grand gâteau
de cire ; à pleines mains, j'écrase et pétris les morceaux. La cire
est bientôt molle entre mes doigts puissants. De banc en banc
20 je vais leur boucher les oreilles ; dans le navire alors, ils me
lient bras et jambes et me fixent au mât, debout sur l'emplanture, puis chacun en sa place, la rame bat le flot qui blan-
chit sous les coups.

Nous passons en vitesse. Mais les Sirènes voient ce rapide
25 navire qui bondit tout près d'elles. Soudain, leurs fraîches voix
entonnent un cantique :

LE CHŒUR. – Viens ici ! viens à nous ! Ulysse tant vanté !
l'honneur de l'Achaïe !... Arrête ton croiseur : viens écouter
nos voix ! Jamais un noir vaisseau n'a doublé notre cap, sans
30 ouïr les doux airs qui sortent de nos lèvres ; puis on s'en va
content et plus riche en savoir, car nous savons les maux, tous
les maux que les dieux, dans les champs de Troade[5], ont infligés
aux gens et d'Argos[6] et de Troie, et nous savons aussi tout ce
que voit passer la terre nourricière.

35 Elles chantaient ainsi et leurs voix admirables me remplissaient le cœur du désir d'écouter. Je fronçais les sourcils pour
donner à mes gens l'ordre de me défaire. Mais, tandis que,
courbés sur la rame, ils tiraient, Euryloque venait, aidé de
Périmède, resserrer mes liens et mettre un tour de plus.

40 Nous passons et, bientôt, l'on n'entend plus les cris ni les
chants des Sirènes. Mes braves gens alors se hâtent d'enlever
la cire que j'avais pétrie dans leurs oreilles, puis de me
détacher. [...]

| 4. Rame. | 5. Région de Troie. | 6. Ville de Grèce.

Nous entrons dans la passe[7] et voguons angoissés. Nous
45 avons d'un côté la divine Charybde et, de l'autre, Skylla[8].
Quand Charybde vomit, toute la mer bouillonne et retentit
comme un bassin sur un grand feu : l'écume en rejaillit jusqu'au
haut des Écueils et les couvre tous deux. Quand Charybde
engloutit à nouveau l'onde amère, on la voit, dans son trou,
50 bouillonner tout entière ; le rocher du pourtour mugit terri-
blement ; tout en bas, apparaît un fond de sables bleus... Ah !
la terreur qui prit et fit verdir mes gens !

Mais, tandis que nos yeux regardaient vers Charybde, d'où
nous craignions la mort, Skylla nous enlevait dans le creux du
55 navire six compagnons, les meilleurs bras et les plus forts : me
retournant pour voir le croiseur et mes gens, je n'aperçois les
autres qu'emportés en plein ciel, pieds et mains battant l'air,
et criant, m'appelant [...], et Skylla, sur le seuil de l'antre, les
mangeait. Ils m'appelaient encore ; ils me tendaient les mains
60 en cette lutte atroce !...

Non ! jamais, de mes yeux, je ne vis telle horreur, à travers
tous les maux que m'a valus sur mer la recherche des passes !

Extraits du chant XII, 154-200 ; 234-249 ; 256-259.

**Ulysse attaché au mât
de son bateau.**

7. Le passage.
8. Écrit plus fréquemment Scylla ; monstre à six têtes.

Questions

Repérer et analyser

Le narrateur et le chœur

1 Qui est le narrateur de ce passage ?

2 **a.** À qui s'adresse Ulysse au début du texte ?

b. Relevez tous les verbes qui expriment les ordres du héros : sur quel ton parle-t-il ?

3 Qui représente le chœur ? Quel verbe revient le plus souvent dans ses paroles ?

La progression du récit

La situation de départ

4 Comment avance le navire ? Est-il lent ou rapide ? Justifiez votre réponse en vous appuyant sur le texte (l. 11 à 16 ; l. 19 à 25).

Les Sirènes

5 Relevez les expressions qui montrent la beauté du chant des Sirènes.

6 Quelles précautions prennent Ulysse et ses compagnons pour échapper au charme des Sirènes ?

7 En vous appuyant sur le texte, expliquez l'habileté des Sirènes essayant de convaincre Ulysse. Leur ruse a-t-elle fonctionné ?

Charybde et Scylla

8 **a.** Que fait Charybde ?

b. Relevez les expressions qui montrent l'agitation de la mer autour d'elle.

9 Quels mots soulignent la peur des hommes au début et à la fin du paragraphe (l. 44 à 52) ?

10 En repérant dans le texte toutes les actions de Scylla ainsi que celles des compagnons d'Ulysse, expliquez ce qui rend cette scène atroce.

11 « Ah ! la terreur qui prit et fit verdit mes gens ! » (l. 51-52) ; « Ils me tendaient les mains en cette lutte atroce !... » (l. 59-60). Quel est le type de phrases utilisé ? Quel sentiment traduit-il ?

Enquêter

12 Que signifient les expressions suivantes : « une voix de sirène » ; « écouter le chant des sirènes » ?

13 Que signifie l'expression : « tomber de Charybde en Scylla » ?

14 Qu'est-ce qu'une « odyssée » ?

S'exprimer

15 Imaginez une nouvelle aventure d'Ulysse en vous efforçant de respecter le style épique : épithètes homériques, comparaisons, formules annonciatrices du discours...

Se documenter

Le mythe*

Dans un monde effrayant, plein de phénomènes incompréhensibles comme la foudre, les vents, les tremblements de terre, la mort, la nuit, l'homme se trouve désemparé et impuissant. S'il ne maîtrise pas ces événements, du moins se rassure-t-il en apportant une explication : ce sont les dieux qui mènent le monde et organisent la nature. Ainsi, en se montrant pieux, en faisant des offrandes généreuses, on pouvait espérer s'attirer la bienveillance des immortels.

Toutes ces histoires qui mettent en scène les dieux s'appellent des mythes. Leur ensemble constitue une mythologie*.

Les mythologies sont multiples, car tous les peuples ont essayé de construire leur propre système explicatif de l'univers. Pourtant, elles présentent de nombreuses ressemblances, tant les hommes, si différents soient-ils, partagent les mêmes angoisses.

L'histoire de Charybde, présentée dans cet extrait, pourrait fournir une explication aux dangereux tourbillons fréquents près de la Sicile. Quant à la légende de Scylla, elle est peut-être née de la rencontre d'un navigateur terrorisé avec une pieuvre géante.

Le retour d'Ulysse

Ulysse et ses hommes abordent à l'île du Soleil. Malgré l'interdiction d'Ulysse, les marins tuent les bœufs sacrés pour se nourrir. La punition est terrible : Zeus foudroie le navire. Ulysse, seul survivant, dérive jusqu'à l'île de Calypso qui le recueille.

[Argos]

Le récit d'Ulysse est maintenant terminé. Le roi Alkinoos fait reconduire le héros jusqu'à Ithaque. Arrivé – enfin – à destination, Ulysse est transformé par la déesse Athéna en vieux mendiant afin de pénétrer incognito dans son île. Il rencontre Eumée, son fidèle porcher, qui le conduit au palais ; puis il revoit, pour la dernière fois, son vieux chien, Argos, qui reconnaît son maître malgré ses haillons.

Pendant qu'ils échangeaient ces paroles entre eux, un chien couché leva la tête et les oreilles ; c'était Argos, le chien que le vaillant Ulysse achevait d'élever, quand il fallut partir vers la sainte Ilion[1], sans en avoir joui. Avec les jeunes gens, Argos
5 avait vécu, courant le cerf, le lièvre et les chèvres sauvages. Négligé maintenant, en l'absence du maître, il gisait, étendu au-devant du portail, sur le tas de fumier des mulets et des bœufs où les servants d'Ulysse venaient prendre de quoi fumer le grand domaine ; c'est là qu'Argos était couché, couvert de
10 poux. Il reconnut Ulysse en l'homme qui venait et, remuant la queue, coucha les deux oreilles : la force lui manqua pour s'approcher du maître.

| **1.** Autre nom de Troie.

Ulysse l'avait vu : il détourna la tête en essuyant un pleur, et, pour mieux se cacher d'Eumée, qui ne vit rien, il se hâta de
15 dire :

ULYSSE. – Eumée !... l'étrange chien couché sur ce fumier ! il est de belle race ; mais on ne peut plus voir si sa vitesse à courre égalait sa beauté ; peut-être n'était-il qu'un de ces chiens de table, auxquels les soins des rois ne vont que pour la montre.
20 Mais toi, porcher Eumée, tu lui dis en réponse :

EUMÉE. – C'est le chien de ce maître qui mourut loin de nous : si tu pouvais le voir encore actif et beau tel qu'Ulysse, en partant pour Troie, nous le laissa ! tu vanterais bientôt sa vitesse et sa force ! Au plus profond des bois, dès qu'il voyait
25 les fauves, pas un ne réchappait ! pas de meilleur limier[2] ! Mais le voilà perclus[3] ! son maître a disparu loin du pays natal ; les femmes n'ont plus soin de lui ; on le néglige... Sitôt qu'ils ne sont plus sous la poigne du maître, les serviteurs n'ont plus grand zèle à la besogne ; le Zeus à la grand-voix prive un
30 homme de la moitié de sa valeur, lorsqu'il abat sur lui le joug de l'esclavage.

À ces mots, il entra au grand corps du logis, et, droit à la grand-salle, il s'en fut retrouver les nobles prétendants[4]. Mais Argos n'était plus : les ombres de la mort avaient couvert ses
35 yeux qui venaient de revoir Ulysse après vingt ans.

Extrait du chant XVII, 290-327.

2. Chien de chasse.
3. Presque paralysé.
4. Nom donné aux jeunes gens qui prétendent à la main de Pénélope.

[La vengeance d'Ulysse]

Ulysse retrouve son palais rempli de jeunes gens insolents qui gaspillent ses biens et harcèlent son épouse de leurs demandes en mariage. Pénélope propose alors un concours très difficile dont l'enjeu est sa main : il s'agit de tendre l'arc d'Ulysse et de tirer une flèche à travers les trous de douze haches alignées. Tous échouent. Ulysse, qui s'est fait reconnaître d'Eumée et de son fils Télémaque, échafaude une terrible vengeance : il demande à participer lui aussi au concours...

Or, tandis qu'ils parlaient, Ulysse l'avisé finissait de tâter son grand arc, de tout voir. Comme un chanteur, qui sait manier la cithare, tend aisément la corde neuve sur la clef et fixe à chaque bout le boyau bien tordu, Ulysse alors tendit,
40 sans effort, le grand arc, puis sa main droite prit et fit vibrer la corde, qui chanta bel et clair, comme un cri d'hirondelle.

Pour tous les prétendants, ce fut la grande angoisse : ils changeaient de couleur, quand, d'un grand coup de foudre, Zeus marqua ses arrêts. Le héros d'endurance en fut tout réjoui :
45 il avait bien compris, cet Ulysse divin, que le fils de Cronos[5], aux pensers tortueux[6], lui donnait ce présage... Il prit la flèche ailée qu'il avait, toute nue, déposée sur sa table ; les autres reposaient dans le creux du carquois, – celles dont tâteraient bientôt les Achéens. Il l'ajusta sur l'arc, prit la corde et l'en-
50 coche et, sans quitter son siège, il tira droit au but...

D'un trou à l'autre trou, passant toutes les haches, la flèche à lourde pointe sortit à l'autre bout, tandis que le héros disait à Télémaque :

ULYSSE. – En cette grande salle, où tu le fis asseoir, ton hôte,
55 ô Télémaque, fait-il rire de toi ? ai-je bien mis au but ?... et,

---

| **5.** Zeus. | **6.** Plein de détours, difficile à suivre.

pour tendre cet arc, ai-je fait trop d'efforts ?... Ah ! ma force est intacte, quoi que les prétendants m'aient pu crier d'insultes ! Mais voici le moment ! avant qu'il fasse nuit, servons aux Achéens un souper que suivront tous les jeux de la voix et ceux de la cithare[7], ces atours[8] du festin !

Et, des yeux, le divin Ulysse fit un signe et son fils aussitôt, passant son glaive à pointe autour de son épaule, reprit en main sa lance, qui dressait près de lui, accotée au fauteuil, la lueur de sa pointe.

Alors, jetant ses loques, Ulysse l'avisé sauta sur le grand seuil. Il avait à la main son arc et son carquois plein de flèches ailées. Il vida le carquois devant lui, à ses pieds, puis dit aux prétendants :

ULYSSE. – C'est fini maintenant de ces jeux anodins[9]... Il est un autre but, auquel nul ne visa : voyons si je pourrais obtenir d'Apollon la gloire de l'atteindre !

Il dit et, sur Antinoos[10], il décocha la flèche d'amertume. L'autre allait soulever sa belle coupe en or ; déjà, de ses deux mains, il en tenait les anses ; il s'apprêtait à boire ; c'est de vin, non de fin, que son âme rêvait !... qui donc aurait pensé que seul, en plein festin et parmi cette foule, un homme, si vaillant qu'il pût être, viendrait jeter la male[11] mort et l'ombre de la Parque[12] ? [...]

Ulysse avait tiré ; la flèche avait frappé Antinoos au col : la pointe traversa la gorge délicate et sortit par la nuque. L'homme frappé à mort tomba à la renverse ; sa main lâcha la coupe ; soudain, un flot épais jaillit de ses narines : c'était du sang humain ; d'un brusque coup, ses pieds culbutèrent la table, d'où les viandes rôties, le pain et tous les mets coulèrent sur le sol, mêlés à la poussière.

---

7. Instrument de musique à cordes.
8. Ornements.
9. Sans danger.
10. Le chef des prétendants et le plus insolent.

11. Méchante.
12. Une des trois déesses de la mort qui filent, dévident et coupent le fil de la vie des humains.

Parmi les prétendants, quand on vit l'homme à terre, ce fut un grand tumulte : s'élançant des fauteuils, ils couraient dans la salle, et, sur les murs bien joints, leurs yeux cherchaient en vain où prendre un bouclier ou quelque forte lance. Ils querel-
90 laient Ulysse en des mots furieux :

LE CHŒUR. – L'étranger, quel forfait[13] ! tu tires sur les gens !... Ne pense plus jouter[14] ailleurs ! ton compte est bon ! la mort est sur ta tête !... C'est le grand chef de la jeunesse en notre Ithaque, que tu viens de tuer ! Aussi, tu vas nourrir les vautours
95 de chez nous.

Ainsi parlaient ces fous, car chacun d'eux pensait qu'Ulysse avait tué son homme par mégarde[15] et, quand la mort déjà les tenait en ses nœuds, pas un ne la voyait !

Ulysse l'avisé les toisa et leur dit :

100 ULYSSE. – Ah ! chiens, vous pensiez donc que, du pays de Troie, jamais je ne devrais rentrer en ce logis ! vous pilliez ma maison ! vous entriez de force au lit de mes servantes ! et vous faisiez la cour, moi vivant, à ma femme !... sans redouter les dieux, maîtres des champs du ciel !... sans penser qu'un vengeur
105 humain pouvait surgir !... Vous voilà maintenant dans les nœuds de la mort !

Il disait ; la terreur les faisait tous verdir.

Extraits des chants XXI, 404-434 ; XXII, 1-42.

Aidé de son fils et d'Eumée, Ulysse tue l'un après l'autre tous les prétendants. Sa vengeance accomplie, il se fait reconnaître de Pénélope. La déesse Athéna lui rend son véritable visage et rallonge la durée de la nuit pour que les deux époux aient le temps de goûter « les charmes des confidences réciproques ».

---

13. Crime, action abominable. | **15.** Sans le faire exprès, involontairement.
14. Participer à un concours.

Questions

Repérer et analyser

Le narrateur

1 Ulysse est-il toujours le narrateur dans le premier texte (p. 82) ? Justifiez votre réponse.

2 **a.** Identifiez le statut du narrateur dans le second texte (p. 84).
b. Quels personnages prennent la parole ? À quels indices le voyez-vous ?

Les personnages et la progression du récit

Argos (premier texte, p. 82)

3 À quoi voit-on qu'Argos a reconnu Ulysse ? Citez le texte.

4 Ulysse a-t-il reconnu Argos ? Qu'est-ce qui le montre ?

5 Quelles étaient les occupations et les qualités du chien dans sa jeunesse ? Dans quel état est-il à présent ? Citez le texte. À quoi est dû cet abandon ?

6 Pourquoi la mort d'Argos est-elle particulièrement émouvante ?

7 Quel nouvel aspect d'Ulysse apparaît dans cet extrait ? Justifiez votre réponse.

Ulysse (second texte, p. 84)

8 Relevez les termes qui désignent Ulysse.

9 Relevez les expressions qui montrent qu'Ulysse connaît et maîtrise son arc. Appuyez-vous notamment sur les deux comparaisons que vous relèverez dans le premier paragraphe.

10 De quelles qualités fait preuve Ulysse pendant le concours ? Citez le texte.

11 **a.** Par quel mot Ulysse désigne-t-il les prétendants (l. 100 à 106) ?
b. De quelles fautes les accuse-t-il (l. 100 à 106) ? Citez le texte à l'appui de votre réponse.

12 **a.** À quel moment Ulysse révèle-t-il sa véritable identité ?
b. Relevez les pronoms et les adjectifs possessifs qui le montrent (l. 100 à 106).

13 **a.** Comment se comporte Ulysse vis-à-vis des prétendants dans ce passage ?

b. Homère considère-t-il Ulysse comme un meurtrier ? Quel nouveau rôle fait-il jouer ici à son héros ? Justifiez votre réponse.

Les prétendants (second texte, p. 84)

14 Les prétendants menacent Ulysse : montrez-le en vous appuyant sur le texte.

15 Quelle erreur d'interprétation ont-ils commise ?

16 Par deux fois dans le texte, les prétendants changent de couleur : quand et pourquoi ?

L'intervention des dieux

17 **a.** Qu'est-ce qu'un « présage » (l. 46) ? Expliquez celui qui est évoqué dans le second texte (p. 84).

b. Quel est le Dieu qui envoie le présage ? Est-il favorable ou défavorable à Ulysse ?

18 Pourquoi Ulysse se place-t-il sous la protection d'Apollon avant de tirer (l. 69 à 71) ? (Voir le tableau des dieux, p. 54.)

La langue d'Homère

La poésie épique (voir p. 60)

19 Relevez les épithètes homériques qui se rapportent à la flèche.

20 Expliquez les expressions imagées qui évoquent la mort :
– « l'ombre de la Parque » (l. 77-78) ;
– « la mort déjà les tenait en ses nœuds » (l. 97-98).

Troisième partie

Énéide

Virgile

Introduction
Virgile et l'« Énéide »

L'auteur

Virgile, sans doute le plus grand poète de l'Antiquité romaine, a vécu entre 70 et 19 av. J.-C. Il était adolescent au moment de la conquête des Gaules par Jules César et il fut l'ami du premier empereur romain : Octave Auguste, petit-neveu de César.

Virgile ou plutôt Publius Vergilius Maro – tel est son nom latin – est né en 70 (ou 71) av. J.-C. près de Mantoue, dans le nord de l'Italie. On raconte que sa mère, enceinte, eut un songe étrange : elle rêva qu'elle accouchait d'une branche de laurier qui, à peine posée sur le sol, devenait un arbre gigantesque couvert de fleurs et de fruits. Ce n'est qu'une légende mais elle symbolise bien le destin exceptionnel d'un homme dont la poésie s'enracinera profondément dans la terre natale.

Né loin de Rome mais appartenant à une famille aisée, Virgile reçoit une éducation soignée et parachève ses études dans la capitale. C'est là qu'il commence à fréquenter les milieux littéraires et à écrire. Immédiatement, il puise son inspiration dans la campagne de son enfance.

Son premier recueil de poèmes, *Les Bucoliques*, qui met en scène des bergers amoureux dans des paysages chers à son cœur, le rend célèbre. Il devient alors le familier de Mécène, riche protecteur des arts et des lettres, qui le présente au futur empereur Auguste.

Sa deuxième œuvre, *Les Géorgiques*, chante encore la terre italienne. Le poète y célèbre les travaux des champs et les nobles occupations des paysans.

Au sommet de sa gloire, Virgile se lance dans l'écriture d'un gigantesque poème épique, l'*Énéide*, auquel il travaille pendant dix ans. L'œuvre quasiment achevée, il décide, avant d'y porter les dernières retouches, de visiter la Grèce et l'Asie Mineure pour voir de ses yeux les pays des héros d'Homère (voir p. 50) où commence d'ailleurs sa propre histoire. Victime d'une insolation à Mégare, il n'achèvera jamais son voyage. Il retourne à grand-peine en Italie et comprend qu'il est perdu. Désespéré de n'avoir pu mener son œuvre à la perfection, le poète demande alors à ses amis de brûler le manuscrit de l'*Énéide*. Virgile meurt dans le port de Brindes le 21 septembre 19. Il sera enterré à Naples.

Les amis du poète, émerveillés par la beauté de l'œuvre, même incomplète, ne peuvent se résoudre à la détruire : ils décident de publier l'*Énéide* telle quelle, sans aucune retouche, respectueux de la dernière création de l'auteur à défaut de respecter les dernières paroles de l'homme. Grâce à eux, le poème connaît une extraordinaire popularité à travers le monde romain. Grâce à eux, cette fabuleuse histoire de conquête, d'amour et de sang est parvenue jusqu'à nous.

La composition de l'Énéide

Bien que sept ou huit siècles séparent l'*Iliade* et l'*Odyssée* de l'*Énéide*, l'œuvre de Virgile présente de nombreux points communs avec les deux grands poèmes d'Homère.

Virgile a voulu, lui aussi, écrire une épopée (voir p. 51). Il a eu sans cesse à l'esprit les textes de son illustre prédécesseur dont il imite la composition générale. Divisée en douze livres ou chants, l'*Énéide* est construite en deux grandes parties : les six premiers chants constituent un récit d'aventures qui fait penser à l'*Odyssée* ; les six autres chants, qui décrivent des combats, rappellent l'*Iliade*.

Le sujet de l'œuvre

Virgile s'inspire des mêmes événements qu'Homère : il évoque lui aussi la légendaire guerre de Troie (voir p. 51-52) mais vécue dans le camp adverse, du côté des Troyens. Son héros, Énée, qui donne son nom au livre, est un guerrier troyen, fils du mortel Anchise et de la déesse Vénus. Protégé par sa mère, Énée assiste au saccage de Troie par les Grecs, mais échappe aux massacres et parvient à s'enfuir avec son père Anchise, son fils Ascagne (appelé aussi Iule) et quelques compagnons. Il a pour mission de fonder une nouvelle ville, au loin, sur une terre inconnue.

L'*Énéide* n'est donc pas l'histoire d'un retour, comme celui d'Ulysse rapporté dans l'*Odyssée*, mais celle d'un départ ; elle raconte moins le voyage d'un exilé, pleurant son pays natal, que le voyage d'un conquérant, à la quête d'un pays nouveau.

Le souvenir de l'*Odyssée*

Malgré ces différences, les six premiers chants présentent de nombreuses ressemblances avec l'*Odyssée*. On y croise rapidement les mêmes personnages : Ulysse dans le camp des ennemis, participant au pillage de Troie ; Charybde et Scylla (voir p. 77) ; les Harpyes, des monstres mi-femmes, mi-oiseaux comme les Sirènes (voir p. 77) ; le monstrueux Polyphème (voir p. 62) et même un compagnon d'Ulysse oublié par celui-ci sur l'île des Cyclopes !

Énée et Ulysse se retrouvent dans des situations comparables. Comme le héros grec, le héros troyen affronte des monstres et des tempêtes ; il subit la haine de la déesse Junon comme Ulysse la colère de Poséidon ; il sait lui aussi émerveiller son auditoire en racontant ses aventures. Les dieux doivent intervenir pour l'arracher à l'amour de Didon, la reine de Carthage, épisode qui rappelle l'intervention divine chez Calypso, dans l'*Odyssée*.

Légende et histoire

Mais Virgile ne se contente pas d'imiter Homère. La grande originalité de l'*Énéide* est de montrer que les racines d'un peuple se trouvent non seulement dans la terre d'un pays mais surtout dans la connaissance de son histoire. À travers son épopée, Virgile veut avant tout célébrer le prestigieux passé de Rome ; en effet, les six derniers livres racontent comment Énée parvient en Italie, dans la région du Latium. Après une guerre sanglante contre les Latins qui habitent ce pays, il fait alliance avec eux et peut enfin fonder sa ville. Après lui, son fils Ascagne élèvera la ville d'Albe et, bien plus tard, son descendant Romulus creusera les fondations de Rome.

En rapportant les exploits de ces Troyens légendaires, ce sont donc les ancêtres des Romains que Virgile fait revivre : la grande famille des Julii, à laquelle appartenait Jules César, descendrait d'Iule et tirerait son nom du sien.

Sans cesse, Virgile établit des ponts entre ce passé fabuleux et la réalité de son époque. À deux reprises, Énée a la possibilité de voir l'avenir et les actions de sa descendance, ce qui permet à Virgile de rappeler à ses lecteurs les grands événements de l'histoire romaine. Enfin son héros, pieux et sage, soucieux d'ordre et de paix, présente une ressemblance certaine avec l'empereur Auguste, ami du poète.

Ainsi, dans chacune de ses œuvres, Virgile s'efforce de rendre ses contemporains fiers de la beauté de leur pays et de la grandeur de son histoire.

Texte 12

Carthage

*Quand commence le récit, Énée est tout proche de l'Italie,
but de son voyage. Mais la déesse Junon, farouche ennemie
des Troyens depuis le jugement de Pâris*, déchaîne une
tempête qui rejette les navires jusque sur les côtes africaines.
Les Troyens abordent alors à la ville de Carthage, que des
colons tyriens gouvernés par la reine Didon viennent tout juste
de fonder.*

Déjà ils gravissaient la colline qui de sa hauteur domine la
ville et dont le sommet regarde en face la citadelle. Énée
admire cet ensemble, simple douar[1] naguère ; il admire les
portes, l'animation et le dallage des rues. Les Tyriens[2] tra-
5 vaillent avec ardeur : les uns prolongent des murailles, bâtis-
sent la citadelle, roulent à force de bras des pierres sur les
pentes ; d'autres choisissent un lieu pour leur maison et l'entourent d'un sillon ; ils se donnent des lois, des magistrats, un
sénat vénérable. Ici les uns creusent des ports, ici pour les
10 théâtres d'autres mettent en place de profondes assises, ils
taillent à même le rocher des colonnes gigantesques, hautes
décorations des scènes futures. Ainsi les abeilles, en l'été
nouveau, par les campagnes en fleur : sous le soleil le rude
travail les met à la peine quand elles conduisent au-dehors,
15 déjà grandis, les petits de leur nation, quand elles condensent
le miel limpide et d'un nectar délicieux emplissent à craquer
leurs chambrettes, reçoivent les charges de celles qui arrivent
ou, formées en colonne, repoussent du logis les bourdons,
troupeau paresseux ; l'ouvrage bout, l'odeur du thym flotte

| **1.** Campement, village de tentes. | **2.** Les fondateurs de Carthage sont originaires de Tyr, en Phénicie. |

20 sur le miel parfumé. « Ô bienheureux, ceux dont les murs déjà
montent du sol ! » dit Énée ; et il contemple, levant les yeux,
les toits qui couronnent la ville. [...]

Tandis que le Dardanien[3] Énée s'émerveille à voir ces
tableaux, stupéfait, immobile, absorbé dans sa contempla-
25 tion, la reine s'est avancée vers le temple, Didon la toute belle,
escortée d'une troupe nombreuse de guerriers. [...] Elle allait
radieuse, parmi la foule, pressant l'ouvrage et l'avenir de son
royaume. Alors devant les portes de la déesse, au milieu de la
nef, elle prit place dans le temple, entourée d'armes, élevée sur
30 un trône imposant. Elle donnait à ses hommes leur droit et
leurs lois, elle distribuait en justes parts le travail des chan-
tiers ou le tirait au sort. [...]

Didon accueille généreusement les étrangers et les invite
dans son palais.

Déjà la reine a pris place sous des tentures magnifiques,
sur un lit d'or, au centre ; déjà le grand Énée, déjà les guerriers
35 troyens pénètrent dans la salle ; chacun s'étend sur des draps
de pourpre[4]. Des serviteurs donnent l'eau pour les mains,
offrent dans des corbeilles les présents de Cérès, apportent des
serviettes aux poils ras. À l'intérieur, cinquante femmes ont
tâche de dresser en bon ordre la longue série des services et
40 d'attiser les feux devant les pénates. Cent autres, autant de
serviteurs et du même âge, doivent charger les tables de viandes
et y poser les coupes. Eux aussi, franchissant le seuil en fête,
les Tyriens sont venus nombreux ; on les invite à s'étendre
sur les lits brodés [...]

45 Après une première pause dans le banquet, après les tables
desservies, on apporte les grands cratères[5], on pose des

---

3. Le descendant de Dardanus, ancêtre
des Troyens.

4. Étoffe rouge vif de grand prix.
5. Grands vases pour servir le vin.

couronnes sur les vins. Le palais s'emplit de bruit, les voix
roulent à travers les vastes salles, des lampes allumées pendent
aux lambris[6] d'or, la flamme des flambeaux triomphe de la
50 nuit. Ici la reine demanda, elle remplit de vin une coupe lourde
de gemmes[7] et d'or, celle dont Bélus[8] et après Bélus tous les rois
nés de lui s'étaient toujours servis ; alors dans le palais le silence
se fit : « Jupiter, car c'est toi, nous dit-on, qui nous donnes les
lois de l'hospitalité, veuille que cette journée soit heureuse pour
55 les Tyriens et pour ceux qui nous viennent de Troie ; puissent
nos descendants en garder la mémoire. Que nous assistent
Bacchus, qui donne la joie, et la bonne Junon ; et vous, Tyriens,
célébrez avec faveur cette fête qui nous réunit. » Elle dit et fit
tomber sur la table les gouttes de la libation.

Extraits du livre I, 419-736.

L'accueil de Didon à Énée.

| **6.** Revêtements des murs. | **7.** Pierres précieuses. | **8.** Ancêtre de Didon.

Questions

Repérer et analyser

Le narrateur

1 Identifiez le statut du narrateur.

Le cadre

2 Où se trouvent les Troyens au début du texte (l. 1 à 32) ? et Didon ?

3 Où se trouvent-ils tous dans la deuxième partie du texte (l. 33 à la fin) ?

4 **a.** En vous aidant des notes, retrouvez les mots qui précisent une origine géographique. Quel est leur suffixe ?
b. Lequel désigne les Carthaginois ? Lequel désigne Énée ?

Les personnages et la progression du récit

Les prises de parole des personnages

5 **a.** Deux personnages prennent la parole dans le texte : lesquels ?
b. Indiquez le début et la fin de chaque intervention : qu'est-ce qui permet de faire facilement ce repérage ?

Didon

6 **a.** Que fait Didon (l. 23 à 32) ?
b. À quoi voit-on qu'elle est reine ? Citez le texte dans votre réponse.

7 **a.** Relevez tous les verbes qui décrivent les actions des Tyriens (l. 1 à 22). Que montre cette accumulation ?
b. À quel animal sont-ils comparés ? Pourquoi ?

Énée

8 **a.** En vous appuyant sur les expressions du texte, quelle est la réaction d'Énée à la vue de Carthage (l. 1 à 22) ? Citez le texte.
b. Comment expliquez-vous cette réaction ?

9 Pourquoi Énée juge-t-il les Tyriens « bienheureux » (l. 20) ?

La ville de Carthage

10 **a.** Carthage est en pleine construction : quels sont les éléments de la ville que peuvent apercevoir les Troyens (l. 1 à 32) ?
b. Semble-t-elle modeste ou importante ? Citez le texte.

11 Étudiez, en partant du tableau suivant, la richesse et le raffinement de l'hospitalité carthaginoise.

Objets	Matières	Personnes	Abondance des plats

12 Entourez les adjectifs qui conviennent : Didon offre aux Troyens une hospitalité luxueuse, opulente, frugale, fastueuse, somptueuse, austère. Puis justifiez vos choix.

La langue de Virgile

13 **a.** Quatre dieux sont cités dans le texte : relevez leur nom et renseignez-vous sur leur identité en utilisant le tableau des dieux (p. 54).
b. Que peuvent être « les présents de Cérès » (l. 37) ?
14 Recherchez le sens des mots suivants : des « pénates » (l. 40) ; une « libation » (l. 59). (Voir « Se documenter », p. 99.)

Enquêter

15 Qu'appelle-t-on « la Cène » ? D'où vient ce mot ?
16 Que signifie l'expression « regagner ses pénates » ?

S'exprimer

17 Vous organisez avec vos amis un banquet à la romaine. Racontez.
18 Imaginez la recette de l'un des plats suivants qui sont de réelles spécialités de la cuisine romaine antique : les globi au pavot ; le poulet en caccabum ; la patina de poires.

Se documenter

Les repas à Rome

En imaginant le festin offert au palais de Didon, Virgile donne aux Carthaginois les mêmes coutumes que les Romains de son époque. À Rome, le repas le plus important de la journée est le repas du soir qu'on appelle la cena. Il se termine en général avant la nuit mais se prolonge beaucoup plus tard si l'on reçoit des invités ; dans ce cas, après la cena, vient le moment des divertissements : la comissatio. Les convives, couronnés de fleurs, admirent des danseuses ou des acrobates, écoutent des musiciens ou des poètes ou bien conversent entre eux... en buvant de nombreuses coupes de vin ! Il est vrai qu'à Rome, le vin, mêlé de miel, de résine ou d'épices est souvent coupé d'eau ; on présente alors le mélange dans un grand vase : le cratère. Au cours du banquet, le maître de maison ne manque pas de répandre un peu de vin sur le sol, en offrande aux dieux, pour qu'ils se montrent bienveillants : c'est ce qu'on appelle une libation. Il place aussi un peu de nourriture devant les statuettes des Lares et des Pénates, les dieux qui veillent sur la maison et sur le garde-manger.

Les Romains aisés disposent d'une salle à manger, le triclinium, où l'on mange, allongé sur des sortes de divans à trois places, accoudé à des coussins. Les convives mangent du bout des doigts la nourriture découpée à l'avance et, entre chaque plat, les esclaves apportent de l'eau pour se rincer les mains.

Au cours des siècles, la cuisine romaine devient de plus en plus raffinée. Les Romains savent accommoder viandes, légumes et poissons de façon très variée. Ils apprécient, comme nous aujourd'hui, le gibier, les escargots, les huîtres et les grenouilles. Mais il n'est pas certain que nous apprécierions, comme eux, le flamant rose, le loir ou les tétines de truie ou encore leurs sauces compliquées à base de miel, de poivre et de garum, jus de poisson fermenté qui remplace le sel !

Texte 13

La chute de Troie

Énée raconte ses aventures à Didon. Il commence son récit en évoquant le terrible souvenir de la prise de Troie par les Grecs : la dernière nuit, la ville est livrée au carnage et au pillage.

Quelle parole saurait dire le désastre de cette nuit et ses morts ; qui pourrait de ses larmes égaler nos douleurs ? Une ville antique s'écroule qui fut reine durant tant d'années ; par milliers, des êtres sans défense sont massacrés dans ses rues, indistincte-
5 ment, et dans ses maisons et sur les seuils vénérés de ses dieux. Et les Troyens ne sont pas seuls à payer de leur sang ; parfois, même au cœur des vaincus le courage remonte et les Danaens[1] vainqueurs tombent. Partout cruelle détresse, partout l'épou-vante et sous mille formes l'image de la mort. [...]

Vénus annonce alors à son fils Énée que les dieux ont décidé la ruine de Troie. Elle lui demande de fuir la ville en flammes.

10 « Sauve-toi, mon fils, fuis, mets un terme à tes efforts. Nulle part je ne te manquerai et je t'établirai en sûreté sur le seuil de tes pères. » Elle avait dit et disparut dans les ombres épaisses de la nuit. Des formes terribles apparaissent et, acharnées contre Troie, les puissances souveraines, les dieux.
15 Alors il me sembla qu'Ilion[2] tout entière s'abîmait[3] dans les flammes et que de toute sa hauteur la Troie bâtie par Neptune s'abattait. [...]

Énée s'est vu confier une mission sacrée : il doit sauver du pillage les statues des Pénates, les dieux protecteurs de la ville,

---

| **1.** Autre nom des Grecs. | **2.** Autre nom de Troie. | **3.** S'engloutissait.

les emporter avec lui pour rebâtir autour d'eux, ailleurs, plus
tard, une nouvelle Troie. Énée rassemble alors sa famille et
une troupe de compagnons.

Déjà parmi les maisons le feu se fait entendre plus distinc-
tement, les incendies déjà plus près de nous roulent leurs tour-
20 billons. « Allons, père chéri, place-toi sur notre cou ; c'est moi
qui te soutiendrai de mes épaules et cette charge ne me sera
point lourde. Quoi qu'il advienne, les mêmes périls, le même
salut[4] nous seront communs à tous deux. Que le petit Iule[5]
m'accompagne et qu'un peu plus loin mon épouse suive bien
25 notre marche. Vous, mes amis, écoutez-moi, de toute votre
attention. Quand on sort de la ville, on trouve à l'écart le tertre[6]
et le vieux temple de Cérès ; auprès, un antique cyprès conservé
à travers les âges par la religion de nos pères. C'est là que par
des chemins différents nous nous réunirons tous. » [...]
30 Ayant ainsi parlé, je jette sur mes larges épaules, sur ma
nuque inclinée un manteau, la peau d'un lion fauve ; je me
courbe sous mon fardeau, le petit Iule a serré sa main dans ma
droite, il suit son père de ses pas d'enfant ; ma femme vient
derrière. Nous allons à travers l'obscurité des lieux et moi que
35 ne troublaient naguère ni les traits[7] dardés[8] contre moi, ni les
Grecs jaillissant en essaims de leurs bataillons meurtriers,
maintenant tous les souffles m'effraient, tous les bruits me
font sursauter dans l'angoisse, craignant à la fois pour mon
compagnon et pour mon fardeau.
40 Déjà je touchais aux portes, je me croyais assuré du terme
de notre route, quand soudain je crus entendre un bruit pressé
de pas et mon père, regardant à travers l'ombre, s'écrie : « Mon
fils, fuis, mon fils ; ils approchent. Je vois les boucliers brillants,

---

4. La chance d'échapper au danger.
5. Autre nom d'Ascagne, le fils d'Énée.
6. Hauteur ; colline.

7. Armes qu'on lance (flèches, javelots).
8. Pointés.

« C'est moi qui te soutiendrai de mes épaules
et cette charge ne me sera point lourde. »

le bronze qui scintille. » Ici, dans mon émoi, je ne sais quelle
45 puissance maligne égara mon esprit en désordre. Tandis que
dans ma course je me jette hors des chemins et à l'écart des
routes familières, à ce moment, ah ! malheur ! Créuse mon
épouse, est-ce un cruel destin qui arrêta ses pas et nous l'a
ravie, ou s'est-elle trompée de route, est-elle tombée de lassi-
50 tude ? On ne sait, mais depuis elle ne reparut pas à nos yeux.
Moi-même je n'ai pas cherché derrière moi celle que nous
venions de perdre, je n'y ai pas songé avant le moment où nous
arrivâmes au tertre et à la demeure sacrée de l'antique Cérès ;
là seulement, quand nous nous sommes tous retrouvés, elle
55 seule a manqué, soustraite à ses compagnons, à son enfant, à
son époux. Dans mon égarement, qui n'accusai-je pas et des
hommes et des dieux ; que vis-je de plus cruel dans notre ville
abattue ? Ascagne, mon père Anchise, les Pénates troyens, je
les confie à mes compagnons, je les cache dans le creux d'un

60 vallon. Moi je reprends le chemin de la ville et ceins[9] mes armes
étincelantes. Je suis décidé à réveiller tous les hasards, à
retourner partout dans Troie, à exposer encore ma vie.

D'abord je rejoins les remparts et le seuil obscur de la porte
par laquelle j'étais sorti, en revenant sur mes pas j'essaie de
65 relever nos traces, de les suivre à travers la nuit, je les recense
du regard. Horreur partout pour l'âme, et à la fois l'étendue
même du silence est terrible. Puis je reviens à notre maison
pour le cas, peut-être, pour le cas où elle y serait retournée ;
les Danaens l'avaient envahie et l'occupaient toute. C'est fini ;
70 un feu dévorant, poussé par le vent, roule jusqu'au sommet
du toit ; les flammes jaillissent plus haut encore, leur tourbillon
se déchaîne dans les airs. Je vais plus loin ; je revois le palais
de Priam* et la citadelle. Et déjà sous les portiques vides, dans
l'asile de Junon, des gardiens de choix, Phénix et l'exécrable
75 Ulysse veillaient sur leur proie. Là, de partout portés, les trésors
de Troie arrachés aux sanctuaires en flammes, les tables des
dieux, les cratères[10] d'or massif, les vêtements des vaincus
s'amoncellent. Alentour et debout, la longue file des enfants,
des mères épouvantées. Que n'ai-je osé ? Je fis retentir mes cris
80 dans l'ombre, j'emplis les rues de ma clameur, et dans mon
deuil, la redemandant sans cesse, vainement, encore et encore
j'appelai Créuse.

*Énée partira donc sans Créuse… Après de nombreuses péri-
péties, les Troyens apprennent que c'est en Italie, plus précisément dans le Latium, qu'ils doivent construire leur ville. En
chemin, ils font escale en Sicile où Anchise, le père d'Enée,
meurt. Le récit d'Enée s'achève alors que, poussé par la
tempête, il se dirige, avec ses compagnons, vers Carthage.*

Extraits du livre II, 361-770

| **9.** Du verbe « ceindre » : s'entourer. | **10.** Grands vases pour servir le vin.

Questions

Repérer et analyser

Le narrateur et les personnages

1 **a.** Quels pronoms et adjectifs possessifs désignent Énée (l. 30 à 39) ?

b. Qui est le narrateur dans ce texte ?

2 « Sauve-toi, mon fils, fuis » (l. 10) ; « Mon fils, fuis, mon fils » (l. 42-43) : qui prononce ces phrases ? À qui sont-elles adressées ?

La progression de l'action

La fuite d'Énée

3 Quel est le point de rendez-vous des fuyards ?

4 Qui manque à l'appel ? Que signifie le mot « ravie » (l. 49) ? Sait-on ce qui est arrivé à ce personnage ? Citez le texte.

5 Que fait alors Énée ? Quel adverbe, à la fin du texte, montre l'inutilité de ses efforts ?

La chute de Troie

6 Quelles expressions indiquent l'ancienne grandeur de Troie ?

7 Relevez trois verbes pronominaux qui soulignent l'anéantissement de la ville (l. 1 à 17).

8 Que deviennent les habitants, les maisons, les trésors de Troie ?

Le personnage d'Énée

9 Retrouvez le nom de chacun des membres de la famille d'Énée.

10 **a.** Énée se conduit en chef : montrez-le en citant le texte.

b. De quelles qualités fait-il preuve ? Justifiez votre réponse.

11 Énée connaît pourtant la peur : relevez les mots appartenant à ce champ lexical (l. 34 à 45). Comment explique-t-il son attitude ?

S'exprimer

12 « Encore et encore j'appelai Créuse » (l. 81-82). Créuse apparaît à Énée. Elle raconte ce qui lui est arrivé. Imaginez son récit.

Texte 14

Didon et Énée

La déesse Vénus a rendu Didon amoureuse d'Énée, pour faire d'elle une alliée plus sûre. La reine est heureuse car le héros répond à son amour. Dans le luxe de Carthage et dans les bras de Didon, Énée oublie sa mission... Les dieux lui envoient alors Mercure pour le rappeler à l'ordre et lui remettre en mémoire son glorieux destin.

Dès qu'il eut de ses pieds ailés pris terre parmi les douars[1], [Mercure] aperçoit Énée qui s'occupait à fonder des ouvrages de défense et à bâtir de nouvelles maisons. Il portait une nouvelle épée constellée de jaspe[2] fauve ; un manteau de
5   pourpre tyrienne tombant de ses épaules flamboyait : présents que lui avait faits l'opulente Didon et elle avait broché le tissu d'un fil d'or. Sans tarder, il l'attaque : « Te voilà maintenant à mettre en place les fondements de l'altière Carthage, une belle ville que tu fais sortir du sol en honnête mari. Malheur ! prince
10 oublieux de ton royaume et de ta destinée. C'est le souverain des dieux lui-même qui m'envoie vers toi du haut du clair Olympe*, celui dont la puissance fait tourner le ciel et la terre. Il m'ordonne lui-même de t'apporter ce message à travers les vents rapides : à quoi penses-tu ? dans quel espoir uses-tu ces
15 jours oisifs sur les terres de Libye ? Si l'éclat d'une haute destinée n'a rien qui te touche, regarde Ascagne qui grandit, les espérances d'Iule ton héritier à qui sont dus le royaume d'Italie et la terre romaine. » Ayant parlé de ce ton, le dieu du Cyllène[3], rompant l'entretien, se déroba aux regards humains,
20 s'évanouit loin des yeux en un souffle léger.

---

1. Campements.   **3.** Mercure
2. Pierre fine.   (né sur le mont Cyllène).

Énée à cette vue demeura muet, hors de lui ; ses cheveux se
dressèrent d'horreur, sa voix s'arrêta dans sa gorge. Il brûle
de partir, de fuir, de quitter ce doux pays, frappé comme de
foudre par l'avis, par l'ordre si solennel des dieux. [...]

Énée prépare alors son départ.

25   Mais la reine – qui pourrait tromper l'amour ? – a pres-
senti la fourbe[4] et surprit la première les mouvements qui se
préparent, inquiète déjà quand tout était sûr[5]. La Renommée[6]
attise son délire en lui rapportant les mêmes impiétés[7] : on
arme les vaisseaux, on s'apprête à partir. Sa raison l'aban-
30   donne ; à travers toute la ville, le cœur en flammes, elle erre
éperdue. [...]
   Enfin, prenant les devants, elle s'adresse à Énée en ces
termes : « As-tu espéré, perfide, que tu pourrais de surcroît
dissimuler un tel crime et quitter ma terre sans rien dire ?
35   Ni notre amour, ni les serments jadis échangés ne te retiennent, ni Didon qui mourra d'une cruelle mort ? Que dis-je ?
tu armes une flotte sous les astres de l'hiver, impatient d'aller
parmi le grand large au milieu des Aquilons[8], cruel ! Si tu
m'as quelque obligation ou si tu as en moi trouvé quelque
40   douceur, aie pitié de cette maison qui chancelle et, je t'en
prie, s'il est encore quelque place pour la prière, rejette cet
affreux dessein ! [...]
   Si du moins, avant ta fuite, j'avais pu de toi accueillir quelque
descendance, si dans ma cour un petit enfant devait jouer
45   devant moi, un petit Énée qui, malgré tout, me rendrait ton
visage, je ne me sentirais pas si totalement prise en un piège
et laissée seule. » [...]

---

4. Fourberie, trahison.
5. Quand il n'y avait pas de quoi
s'inquiéter.

6. Divinité qui répand des rumeurs.
7. Insultes à ce qui est sacré.
8. Nom latin du vent du Nord.

Malgré sa peine et les supplications de Didon, Énée n'écoute que l'ordre des dieux : il doit quitter Carthage. Pour éviter des adieux déchirants, il met à la voile en pleine nuit. Au matin, le désespoir de la reine Didon est terrible : elle appelle sur les Troyens la malédiction des dieux.

Et déjà la naissante Aurore épandait sur le monde une neuve lumière, laissant le lit safrané[9] de Tithon[10]. La reine, de sa tour,
50 dès qu'elle vit les premières lueurs blanchir, et s'éloigner la flotte les voiles pareillement gonflées, dès qu'elle sentit que plus un rameur ne restait sur les rivages dans le port vide, trois fois, quatre fois de ses mains frappant sa belle poitrine et arrachant ses blonds cheveux : « Oh ! Jupiter ! dit-elle, il partira :
55 un étranger de passage se sera joué[11] de notre royauté ! [...]
Soleil, qui de tes flammes éclaires toutes les œuvres de la terre, et toi, qui assembles, assistes les cœurs[12], Junon, Hécate* aussi, qu'appelle par les villes le hurlement des carrefours nocturnes, Furies* vengeresses, dieux d'Élissa[13] qui meurt,
60 accueillez ceci, tournez vers les méchants votre courroux qu'ils méritent et exaucez nos prières. S'il est besoin que cette tête exécrable atteigne un port, aborde à une terre, si les destins de Jupiter l'exigent, si ce terme est immuable[14], que pressé par la guerre, par les armes d'un peuple fier, chassé de chez lui,
65 arraché aux bras d'Iule, il doive mendier des secours, qu'il voie l'indigne trépas des siens ; puis qu'après s'être livré sous les lois d'une paix inégale, il ne jouisse ni de sa royauté ni des jours qu'il souhaitait, mais qu'il tombe avant son temps, sans sépulture au milieu des sables. Telle est ma prière, telle la
70 dernière parole que je répands avec mon sang. Vous maintenant, Tyriens, poursuivez de vos haines cette race et tout ce qui sortira de lui ; telle est l'offrande que vous ferez parvenir

---

9. D'un jaune safran. **11.** Se sera moqué. **13.** Autre nom de Didon.
10. Époux de l'Aurore. **12.** Ceux qui s'aiment. **14.** Qu'on ne peut changer.

à nos cendres. Point d'amitié entre les deux peuples, ni d'accords, jamais. Lève-toi, ô inconnu, né de mes os, mon vengeur,
75 qui par le feu, par le fer pourchasseras les colons dardaniens, maintenant, plus tard, en tous temps où on en aura la force. Rivages contre rivages, flots contre mers, j'en jette l'imprécation, armes contre armes, qu'ils se battent, eux et leurs fils. »

Extraits du livre IV, 259-629.

Incapable de survivre à une si atroce douleur, Didon se plonge dans la poitrine une épée laissée par Énée.

Repérer et analyser

Le narrateur

1 Rappelez le statut du narrateur.

La progression de l'action

2 Comparez l'attitude d'Énée au début du texte (l. 1 à 7) et dans les lignes 48 à 55.

3 Comment se comporte Didon envers Énée au début et à la fin du texte (l. 3 à 7 ; 56 à 78) ?

4 Quel est l'élément perturbateur qui a entraîné ces changements ?

L'intervention des dieux

> Une périphrase est une phrase qui désigne un être ou un objet par une de ses caractéristiques, au lieu de donner directement son nom.

5 Qui est désigné par la périphrase : « le souverain des dieux » (l. 10-11) ?

6 Qui est Mercure ? (Voir le tableau des dieux, p. 54.) Quelles expressions révèlent son identité ?

7 **a.** Que reprochent les dieux à Énée ?
b. Comment Énée réagit-il à l'intervention des dieux ? Expliquez son attitude (l. 21 à 24).

Le personnage de Didon

La prise de parole de Didon

8 Repérez les deux passages dans lesquels Didon prend la parole.

La caractérisation

9 Que signifient les adjectifs « opulente » (l. 6) et « altière » (l. 8) qui caractérisent Didon ?

Les prières de Didon (l. 25 à 47)

10 **a.** Comment Didon considère-t-elle le départ d'Énée ? Relevez trois noms qui montrent la gravité de cet acte pour elle (l. 25 à 34). Que signifie l'adjectif « perfide » (l. 33) ?

b. Quels arguments utilise-t-elle pour essayer de faire changer Énée d'avis ?

c. « Si [...] j'avais pu de toi accueillir quelque descendance » (l. 43 à 47). Relisez la phrase en entier : quel est le regret de Didon ?

La malédiction de la reine (l. 56 à 78)

11 **a.** Quelle différence y a-t-il entre une prière et une « imprécation » ?

b. Quels malheurs la reine souhaite-t-elle à Énée ? À quels modes sont les verbes des lignes 59 à 61 et 65-66 ? Quelle est la valeur de ces modes ?

Le désespoir de Didon

12 **a.** Le désespoir de la reine est souvent proche de la folie : quelles actions le montrent ? Citez le texte.

b. Relevez les expressions qui laissent pressentir le suicide de Didon (l. 32 à 38 ; l. 56 à 78).

S'exprimer

13 Énée a laissé une lettre à Didon pour expliquer son brusque départ et essayer de se faire pardonner. Imaginez ce qu'il a pu écrire et efforcez-vous d'être convaincant !

Se documenter

Carthage (voir la carte, p. 148)

Didon est un personnage légendaire mais la ville de Carthage a bel et bien existé.

Fondée au VIIIe av. J.-C. par les Phéniciens en Afrique du Nord, dans l'actuelle Tunisie, Carthage était une brillante cité enrichie par l'agriculture et le commerce. Les Romains faisaient appel à la science de ses agronomes et ses navigateurs étaient assez hardis pour franchir les colonnes d'Hercule (on appelait ainsi alors le détroit de Gibraltar) et pour explorer l'océan Atlantique.

Carthage était bâtie sur une presqu'île, et une vaste muraille de trente-deux kilomètres protégeait ses maisons, ses palais, ses jardins, ses vergers et ses temples. Les Carthaginois ne priaient pas les mêmes dieux que les Romains : leurs principales divinités étaient le dieu Baal et la déesse Tanit.

Carthage fut une des plus redoutables rivales de Rome. Leur même désir de dominer le monde méditerranéen ne pouvait qu'en faire des ennemies. Les deux villes s'affrontèrent à trois reprises, au cours du IIIe et du IIe siècle av. J.-C. On qualifie ce conflit de « guerres puniques » (du mot latin *Poeni* qui désignait les Carthaginois).

Les deux premières guerres s'achevèrent de justesse par la victoire de Rome, mais les Romains n'oublièrent pas les deux grands généraux carthaginois qui avaient fait trembler leur puissance : Hamilcar Barca et surtout son fils Hannibal qui avait mené son armée jusqu'en Italie, presque aux portes de Rome. Ils gardèrent le souvenir épouvanté de la plus redoutable des armes carthaginoises : les éléphants, qui, menés comme de véritables chars d'assaut, avaient piétiné et éventré leurs soldats.

Ainsi, Rome décida d'engager une troisième guerre pour se débarrasser à jamais de sa dangereuse rivale. Au bout d'un siège de trois ans, Carthage fut entièrement détruite, ses habitants massacrés, et on répandit même du sel sur ses ruines, en signe de malédiction.

Texte 15

Les Enfers

Énée parvient en Italie. Il s'arrête d'abord à Cumes (voir carte, p.148), où se trouve un célèbre temple d'Apollon. Là, il interroge la prêtresse du dieu, la Sibylle, sur son avenir. Rassuré, il la supplie de l'aider à revoir une dernière fois son père Anchise au royaume des Morts ; en effet, près du temple, s'étend le marais de l'Averne qui cache l'entrée des Enfers (voir « Se documenter », p. 121). Avant d'y pénétrer, Énée doit trouver dans les bois un rameau d'or qui lui servira de talisman. Puis, sous la conduite de la Sibylle, le héros s'enfonce dans la grotte du lac Averne vers un pays étrange et terrifiant.

Ils allaient obscurs sous la nuit solitaire parmi l'ombre, à travers les palais vides de Dis[1] et son royaume d'apparences ; ainsi par une lune incertaine, sous une clarté douteuse, on chemine dans les bois quand Jupiter a enfoui le ciel dans
5 l'ombre et que la nuit noire a décoloré les choses. Avant la cour elle-même, dans les premiers passages de l'Orcus[1], les Deuils et les Soucis vengeurs ont installé leur lit ; les pâles Maladies y habitent et la triste Vieillesse, et la Peur, et la Faim, mauvaise conseillère, et l'affreuse Misère, larves terribles à
10 voir, et le Trépas et la Peine ; puis le Sommeil frère du Trépas, et les Mauvaises Joies de l'âme, la Guerre qui tue l'homme, en face sur le seuil, et les loges de fer des Euménides[2], la Discorde[3] en délire, sa chevelure de vipères nouée de bandeaux sanglants.
15 Au milieu, un orme impénétrable, démesuré, déploie ses branches, ses bras chargés d'ans ; on dit que les Songes vains

---

1. Autres noms de Pluton, le dieu des Enfers.
2. Autre nom des Furies (voir « Se documenter », p. 121).
3. Le Désaccord, la Haine.

y ont confusément leur demeure, immobiles sous toutes les feuilles. Là encore, en foule, les formes monstrueuses d'êtres terribles, des Centaures[4] ont pris quartier devant la porte, des
20 Scylla[4] à la double nature, le centuple Briarée[4], la bête de Lerne[4] sifflant affreusement, la Chimère[4] armée de flammes, des Gorgones*[4], des Harpyes[4] et l'apparence d'une ombre à trois corps. [...]

De là une voie mène dans le Tartare vers les eaux de
25 l'Achéron. Gouffre mêlé de fange, en un immense tournoiement il bout et rejette en hoquetant tout son sable dans le Cocyte. Un passeur effrayant monte la garde près de ces flots mouvants, Charon, sale, hérissé, terrible ; des poils blancs foisonnent[5] incultes[6] sur son menton, ses yeux fixes sont de
30 flamme ; un manteau sordide[7] est noué sur ses épaules et pend. Il pousse lui-même la barque avec une perche, sert les voiles et dans sa gabare[8] noircie transporte les corps ; vieux, sans doute, mais c'est un dieu, une vieillesse verte et pleine de sang. Là, vers les rives toute une foule, en désordre, se
35 ruait. [...]

Ils étaient debout, suppliant qu'on les fît passer les premiers, ils tendaient leurs mains, avides, dans leur désir de la rive ultérieure[9]. Mais l'inflexible nocher[10] tantôt prend ceux-ci, tantôt prend ceux-là ; les autres, il les déloge et les repousse loin de
40 la grève[11]. [...]

Il n'est pas possible de les faire passer entre ces bords effrayants, par ces rauques courants, avant que leurs os n'aient reposé dans une demeure. Pendant cent ans ils errent, voletant autour de ces rivages ; au terme, ayant été admis, ils voient
45 enfin à leur tour ces étangs si fort désirés. [...]

---

4. Noms de divers monstres.
5. Poussent en grand nombre.
6. En désordre.
7. Sale.

8. Sorte de barque.
9. Opposée.
10. Le passeur.
11. Le bord.

À la vue du rameau d'or, le passeur Charon accepte de faire traverser Énée et la Sibylle. Mais un autre obstacle les attend : Cerbère, le chien de garde des Enfers.

L'énorme Cerbère, de l'aboi de ses trois gueules, fait retentir au loin ces royaumes, allongé, gigantesque, dans une caverne en face. La prêtresse voyant ses cous se hérisser déjà de couleuvres, lui jette un gâteau soporifique de miel et de graines
50 préparées. Lui, dans sa faim enragée ouvre grand son triple gosier, l'attrape au vol, il dénoue sa croupe gigantesque répandue sur le sol, s'étend, énorme, dans toute la profondeur de sa caverne. Énée s'empare vivement du passage tandis que le gardien est enseveli dans sa torpeur, il s'éloigne rapide-
55 ment des bords du fleuve qu'on ne repasse pas.

Tout de suite, on entend des voix, un immense vagissement[12], des âmes de nouveau-nés qui pleurent : au premier seuil de l'âge, exclus de la douceur de vivre, à la mamelle ravis, un jour sombre les emporta, disparus avant la saison dans la tombe.
60 Près d'eux, ceux qui furent condamnés à mort sur une fausse accusation ; et ce séjour n'est pas concédé sans la décision d'un jury et d'un juge : Minos instruit l'affaire ; il préside au tirage, convoque le conseil des silencieux, examine et les vies et les accusations. Toutes proches, des ombres accablées : ceux qui,
65 sans être coupables de quelque crime, se sont eux-mêmes donné la mort ; ayant détesté la lumière, ils ont rejeté le souffle de leur vie. [...]

Non loin se découvrent, en tous sens étendus, les Champs des Pleurs ; ainsi les nomme-t-on. Là ceux que le dur amour
70 a consumés en cruelles langueurs[13] trouvent asile sur des sentiers secrets ; des buissons de myrte[14] tout autour les protè-gent ; leur peine, aux bras mêmes de la mort, ne les quitte. [...]

---

12. Cri des bébés. | 14. Arbuste à feuilles persistantes.
13. Dépérissement, épuisement des forces.

Énée rencontre l'ombre de Didon. Bouleversé, il veut lui expliquer les raisons de son départ, mais elle refuse de l'écouter. Le héros poursuit sa route, longeant le Tartare où sont enfermées les âmes des criminels, en direction des champs Élysées où demeurent les âmes pures.

Énée regarde attentivement et soudain à gauche, au pied d'un rocher, il voit un vaste palais gardé d'un triple mur ; à
75 l'entour, le fleuve du Tartare, fleuve dévorant, torrent de flammes, le Phlégéthon, roulant des rocs retentissants. En face, une porte énorme, des piliers d'acier massif tels qu'aucune force humaine, les dieux mêmes ligués en une guerre ne pourraient les déraciner ; une tour de fer se dresse dans les airs. Sur
80 un siège, Tisiphone[15], serrée dans sa robe sanglante, garde l'entrée, nuits et jours, sans dormir jamais. De là on entend des gémissements, les fouets cruels qui frappent, puis le grincement du fer et les chaînes traînées. Énée s'arrêta, tendit l'oreille à tous ces bruits, plein de terreur : « Quelle est la nature
85 de ces crimes, ô vierge, dis-le-moi ; et quels supplices les accablent ? Qu'est-ce que cette plainte si grande qui s'élève dans les airs ? »

Alors la prêtresse commença : « Illustre chef des Troyens, aucune âme pure ne saurait franchir ce seuil scélérat[16]. [...]
90 Rhadamanthe de Cnosse fait régner dans ces lieux la plus dure rigueur, il s'en prend aux crimes cachés, il écoute, il contraint d'avouer ce dont l'homme sur la terre, joyeux en secret de ses vaines fourberies[17], a remis la réparation à l'heure tardive de sa mort. [...]
95 Ici ceux qui ont haï leurs frères, la vie durant, ou maltraité leur père et trompé la confiance d'un client, ou qui, ayant rencontré la richesse, l'ont couvée pour eux seuls sans en donner

---

| **15.** Voir « Se documenter », p. 121. | **17.** Tromperies. |
| **16.** Infâme, honteux. | |

une part à leurs proches – ceux-là sont innombrables – ; ceux qui ont été tués comme adultères[18], ceux qui se sont enrôlés
100 dans des guerres impies et n'ont pas craint de tromper la foi jurée à leurs maîtres, renfermés là, ils attendent leur châtiment. Ne cherche pas à savoir quel châtiment, ni davantage la forme de l'arrêt, la dure destinée qui les a engloutis. [...]

Tous ont osé un monstrueux forfait[19] et ils ont joui du fruit
105 de leur audace. Non, eussé-je cent langues, cent bouches, une voix de fer, je ne pourrais représenter toutes les formes des crimes, énumérer tous les noms des supplices. » [...]

Ils parvinrent enfin aux espaces riants, aux aimables prairies des bois fortunés, les demeures bienheureuses. Là un
110 éther[20] plus large illumine les plaines et les revêt de pourpre ; ils ont leur soleil et leurs astres. Les uns s'exercent en des palestres[21] gazonnées, ils se mesurent par jeu et luttent sur le sable fauve. D'autres frappent du pied le rythme d'un chœur et chantent des poèmes. [...]

115 Voici qu'il en aperçoit d'autres, à droite, à gauche, sur l'herbe, prenant leur repas, chantant en chœur un joyeux péan[22], dans un bois odorant de laurier, d'où le fleuve Éridan, roulant vers l'aval, envoie ses eaux puissantes à travers la forêt. [...]

Énée aperçoit alors son père Anchise.

Dès qu'il vit Énée marchant à lui à travers les herbes, joyeux,
120 il tendit ses deux mains, des larmes se répandirent sur ses joues, ce cri sortit de sa bouche : « Tu es enfin venu et, comme l'attendait ton père, ta piété a triomphé de l'âpre route. Il m'est donné de voir ton visage, mon fils, d'entendre de toi, de t'adresser nos paroles familières. Oui, je pensais dans mon

---

18. Infidèles à leur mari ou à leur femme.
19. Crime.
20. Espace aérien.

21. Sortes de gymnases.
22. Hymne, chant en l'honneur d'Apollon.

25 cœur, je comptais qu'il en serait ainsi ; je calculais les jours et mon désir ne m'a point trompé. Que de terres et quelles mers parcourues avant que je te retrouve ! Que de périls, mon fils, pour t'éprouver ! Comme j'ai eu peur que les royaumes de Libye[23] ne te fissent du mal ! » Et lui : « Père, c'est ton image,
30 oui ton image affligée, paraissant si souvent devant moi, qui m'a fait tendre vers ce seuil ; les vaisseaux sont à l'ancre dans les eaux tyrrhéniennes. Permets-moi de prendre ta main, permets, ô père, et ne te dérobe pas à nos embrassements. » Tandis qu'il parlait, des pleurs abondants inondaient son
35 visage. Alors trois fois il essaya de lui jeter les bras autour du cou, trois fois l'image en vain saisie échappa à ses mains, pareille aux vents légers, semblable à l'envol du sommeil...

Extraits du livre VI, 268-702.

Anchise explique à Énée les mystères de la réincarnation (voir « Se documenter », p. 121) et lui dévoile l'avenir de sa descendance. Puis il ouvre à ses visiteurs les portes d'ivoire, habituellement réservées au passage des Songes, qui leur permettront de rejoindre la lumière.

| **23.** La région de Carthage.

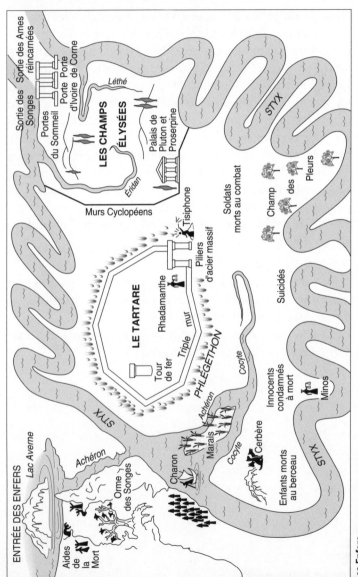

Les Enfers.

Repérer et analyser

Le monde des Enfers

Les fleuves

1 En vous aidant de la carte ci-contre, retrouvez dans le texte quatre noms de fleuves.

Les personnages

Une allégorie est la représentation d'une idée ou d'un sentiment sous les traits d'une personne ou d'une divinité.

2 Quelles allégories sinistres (effrayantes) se tiennent à l'entrée des Enfers (l. 5 à 14) ?

3 **a.** Quels noms désignent le personnage qui fait traverser le fleuve aux ombres des morts (l. 24 à 40) ? Décrivez-le.
b. Que signifie l'adjectif « inflexible » (l. 38) ?

4 **a.** Cerbère est un chien monstrueux : à quoi le voit-on ?
b. Cherchez le sens de l'adjectif « soporifique » (l. 49) et du nom « torpeur » (l. 54) : comment la prêtresse se débarrasse-t-elle de Cerbère (l. 46 à 55) ?

5 **a.** Relevez, en les mettant à l'infinitif, les verbes décrivant les actions de Minos (l. 60 à 64) et de Rhadamanthe (l. 90 à 94).
b. Quel est leur rôle ?

Les ombres

6 Pourquoi certaines ombres ne sont-elles pas acceptées dans la barque (l. 36 à 45) ? Que leur arrive-t-il alors ?

7 Les premières ombres que rencontre Énée sont réparties en plusieurs catégories, selon la mort qui les a frappées (l. 56 à 72). Retrouvez ce classement.

Le Tartare et les champs Élysées

8 Relisez les lignes 73 à 83 puis 108 à 118. Par quels adjectifs pourriez-vous qualifier le Tartare ? les champs Élysées ?

9 Quelles sont les activités des bienheureux (l. 108 à 118) ?

10 Qu'arrive-t-il aux âmes condamnées ? Quelles indications auditives le prouvent (l. 81 à 87) ?

11 Faites l'inventaire des fautes commises par les criminels du Tartare : citez le texte (l. 88 à 107).

Énée et son père (l. 119 à 137)

12 Pourquoi le père et le fils pleurent-ils ? Citez le texte.

13 Quelle qualité, citée dans le texte, a permis à Énée de surmonter les obstacles sur sa route et de revoir son père ?

14 Pourquoi Énée ne peut-il pas embrasser son père ?

15 En relisant attentivement le texte, dessinez l'itinéraire d'Énée sur la carte de la page 118.

La langue de Virgile

16 Le premier paragraphe s'ouvre sur une comparaison : laquelle ? Quels mondes met-elle en parallèle ?

17 **a.** Le rythme de la dernière phrase du texte repose sur une répétition et sur une double comparaison : lesquelles ?

b. Quel effet créent-elles ? Expliquez la comparaison.

18 Relevez les expressions synonymes du verbe « mourir » (l. 56 à 72).

Enquêter

19 Recherchez les caractéristiques physiques de tous les monstres cités de la ligne 19 à la ligne 23.

20 Que désignent aujourd'hui les « Champs-Élysées » ? Quelle différence observez-vous sur le plan orthographique ?

21 Qu'appelle-t-on un « cerbère » ? une « chimère » ?

22 **a.** Quels points communs y a-t-il entre une « furie », une « harpie », une « mégère » ?

b. Expliquez l'évolution du sens de ces mots (se reporter, si besoin, à la rubrique « Se documenter », p. 121).

Se documenter

La mort et l'au-delà

Dans l'Antiquité, les Enfers ne sont pas réservés aux damnés comme l'Enfer chrétien. Les Anciens donnent ce nom au pays mystérieux où vont toutes les âmes après la mort. C'est un royaume souterrain sur lequel règnent le dieu Pluton et sa femme, Proserpine. Là habitent de nombreuses divinités qui causent la mort ou qui lui ressemblent (comme le Sommeil et les Rêves). C'est aussi la demeure de leurs serviteurs monstrueux ou terrifiants : Cerbère, Charon, les trois Furies*, Alecto, Tisiphone et Mégère, aux cheveux de serpents et armées de fouets pour torturer les criminels.

Après la mort, l'individu devient une « ombre » : il garde l'apparence qu'il avait de son vivant mais il perd toute consistance et devient insaisissable. Commence alors un véritable voyage : il franchit un fleuve – le Styx ou l'Achéron – qui est la frontière des Enfers, sur la barque du passeur Charon. Les Anciens pensaient qu'il fallait payer le passage et plaçaient une pièce sur la bouche des morts dans ce but ; faute de quoi, les morts condamnés à errer devenaient des spectres malheureux et malveillants.

Une fois admis aux Enfers, les morts sont regroupés en plusieurs régions selon leur vie antérieure : ceux qui ont commis des fautes doivent les expier dans le Tartare, un lieu de punitions où les plus grands criminels resteront éternellement. Les autres, moins coupables, se purifient dans des zones intermédiaires avant de rejoindre les champs Élysées, le séjour des bienheureux.

Les Romains croient à la réincarnation : au bout d'un certain temps passé dans les beaux paysages des champs Élysées, les âmes boivent l'eau du Léthé, le fleuve qui procure l'oubli ; après avoir perdu tout souvenir, elles peuvent remonter à la lumière, dans un nouveau corps, pour entamer une nouvelle vie.

Texte 16

L'arrivée en Italie

Le voyage est terminé : Énée atteint le Latium, la région dési-
gnée par les dieux pour y fonder sa ville. Les habitants du
pays, les Latins, accueillent volontiers les Troyens et leur roi,
Latinus, promet même sa fille Lavinia en mariage à Énée. Mais
Junon sème la discorde entre les deux peuples et éveille la
jalousie de Turnus, roi des Rutules, un peuple voisin, qui
souhaitait lui aussi épouser Lavinia. La guerre éclate.

Après de nombreuses pertes des deux côtés, Latins et Troyens
conviennent d'un accord pour régler leur conflit. Un duel entre
Énée et Turnus décidera de l'issue de la guerre : si Énée est
vaincu, les Troyens s'en iront ; si Énée l'emporte, il pourra
bâtir sa ville. Une cérémonie religieuse donne un caractère
sacré à cet engagement.

Cependant voici les rois : entouré d'un immense cortège,
Latinus s'avance sur un quadrige[1], douze rayons d'or enser-
rent ses tempes qui resplendissent, emblème du Soleil son
aïeul ; Turnus va dans un bige[2] blanc, brandissant dans sa
5   main deux javelots au large fer. De l'autre part, le grand Énée,
origine de la race romaine, tout en feu, avec son bouclier
qui semble un astre et ses armes venues du ciel ; près de lui,
Ascagne, l'autre espoir de la grande Rome : ils sortent hors
du camp. Un prêtre en vêtements purs a amené le petit d'un
10   porc aux soies[3] drues et une brebis dont la toison[4] n'a jamais
été touchée, il a approché les bêtes des autels où brûle le
feu. Eux, tournant leurs yeux vers le soleil qui se lève, offrent
de leurs mains les farines salées, ils marquent au fer la tête

---

1. Char à quatre chevaux.   3. Les poils du porc.
2. Char à deux chevaux.   4. Laine.

des animaux et, coupe en main, versent la libation sur les
15 autels. [...]

Alors ils égorgent au-dessus de la flamme les bêtes rituelle-
ment[5] consacrées, ils arrachent leurs entrailles encore vives et
accumulent sur les autels des plateaux lourdement chargés. [...]

Le combat s'engage ensuite entre Énée et Turnus.

Énée fait tournoyer le trait fatal, ayant des yeux saisi l'occa-
20 sion ; de loin, de tout son effort il l'élance. Jamais pierres jetées
par machine de siège ne grondent avec cette puissance, jamais
foudre ne fait tressaillir tels fracas. La pique vole à la manière
d'un tourbillon noir, portant avec soi le sinistre trépas, elle fait
éclater les bords de la cuirasse et l'orbe[6] du septuple[7] bouclier,
25 elle traverse le milieu de la cuisse avec un bruit strident. Turnus,
le jarret ployé, tombe à terre, énorme. Les Rutules se dressent
avec un cri de douleur, la montagne à l'entour mugit et de
partout, au loin, les bois profonds rendent les voix. Lui, abattu,
dans l'attitude d'un suppliant, levant les yeux, la main, pour
30 une demande : « Cette fois, j'en ai fini et je ne demande pas
de grâce, dit-il ; use de ta chance. Mais si la pensée d'un malheureux père peut te toucher – ce fut aussi l'état d'Anchise ton
père –, je t'en prie, aie pitié de la vieillesse de Daunus[8] et veuille
me rendre aux miens ou, si tu aimes mieux, mon corps spolié
35 de la lumière[9]. Tu as été vainqueur, les hommes d'Ausonie ont
vu le vaincu tendre les mains, Lavinia est ton épouse ; dépose
désormais ta haine. » Énée frémissant sous ses armes, s'arrêta,
les yeux incertains et il retint son bras. À mesure qu'il tardait
davantage, les paroles de Turnus avaient commencé à l'émou-
40 voir quand, par malheur, apparut au sommet de l'épaule le

---

5. Selon les rites, la coutume.
6. Le bord rond.
7. Renforcé par sept épaisseurs.

8. Père de Turnus.
9. Privé de la lumière de la vie.

baudrier[10] puis, sur le harnois[10], les clous étincelants, bien
connus, de Pallas[11], le jeune Pallas que Turnus victorieux avait
terrassé sous ses coups et dont il portait sur ses épaules le
trophée ennemi. Après qu'il eut empli ses yeux de la vue de
45 ces parures – elles ravivent en lui une douleur cruelle –,
enflammé par les Furies[12], terrible en sa colère : « Toi qui te
revêts de la dépouille des miens, quoi, tu pourrais maintenant
te sauver de mes mains ? Dans ce coup, c'est Pallas qui t'immole[13], Pallas qui se paie de ton sang scélérat. » À ces mots, il
50 lui enfonce son épée droit dans la poitrine, bouillant de rage ;
le corps se glace et se dénoue, la vie dans un gémissement s'enfuit indignée sous les ombres.

*Après la mort de Turnus, Énée respecte ses engagements : il
épouse Lavinia et fonde une ville latino-troyenne qu'il nomme
Lavinium en l'honneur de sa femme. Des siècles plus tard, ses
descendants fonderont Rome.*

Extraits du livre XII, 161-952.

---

10. Courroie et lanières qui soutiennent l'épée.   **12.** Divinités de la vengeance.
11. Le jeune fils du roi Évandre, allié d'Énée :   **13.** Tuer, sacrifier.
il a été tué par Turnus.

Questions

Repérer et analyser

La progression du récit

Les personnages

1 Qui sont les personnages en présence ?

2 Relevez les mots appartenant au champ lexical de la lumière : lequel des hommes semble le plus éblouissant : pourquoi ?

3 Qu'est-ce qu'un « autel » (l. 11) ?

4 Quels animaux le prêtre amène-t-il ? dans quel but ?

Le combat (l. 19 à 52)

5 a. Qui sont les combattants ?

b. Relevez le champ lexical des armes et du combat.

c. Quel personnage a le dessus ?

6 Quels arguments utilise Turnus pour convaincre Énée de lui laisser la vie ?

7 Quel détail détermine la décision d'Énée ? Qu'est-ce qu'un « trophée » (l. 44) ?

8 Quels sentiments poussent le héros à agir ainsi ? Citez le texte.

La poésie épique (voir p. 60)

> Dans l'épopée, l'auteur exagère souvent les faits pour provoquer la terreur ou l'admiration du lecteur : c'est l'amplification épique.

9 Relevez les exemples d'amplification épique (l. 19 à 28), en particulier dans les indications auditives.

Enquêter

Les expressions issues du latin

10 Qu'est-ce qu'un « oiseau de mauvais augure » (voir p. 126) ?

11 Que signifie l'expression « sous d'heureux auspices » (voir p. 126) ?

12 Quel est le sens du verbe « présager » (voir p. 126) ?

Se documenter

Le culte des dieux

Les Romains honorent leurs dieux selon des rites très précis, dans le but de s'attirer leur bienveillance. Ainsi ils se rendent au temple de la divinité dont ils veulent obtenir la protection, et là, sans y entrer – car le temple est la maison du dieu –, ils adressent des prières et déposent des offrandes : parfums, gâteaux, premiers fruits ou premiers épis des récoltes...

On sacrifie fréquemment des animaux : pigeons, poulets, agneaux, brebis, porcs, bœufs..., dont le nombre et la valeur varient selon la fortune de celui qui offre le sacrifice. Dans les grandes occasions, un riche fidèle peut pratiquer un suovetaurile c'est-à-dire offrir à la fois un porc (*sus*), un mouton (*ovis*) et un taureau (*taurus*). Ornées de bande-lettes et de couronnes de fleurs, les bêtes sont menées devant l'autel. Avant le sacrifice, on effectue une libation : du vin est répandu en l'honneur du dieu. Puis, un serviteur du prêtre, spécialement chargé de cette besogne, égorge l'animal ou l'immole d'un coup de hache. Ensuite, des prêtres-devins, les haruspices, sont chargés d'examiner les entrailles de la bête pour y lire l'avenir : ils doivent déterminer si le sacrifice a été agréable aux dieux et si ceux-ci se montreront favorables. Ainsi, avant tout acte important, les Romains, très superstitieux, accomplissaient-ils des sacrifices pour obtenir des présages, des indications sur les événements futurs. Ils consultaient parfois aussi d'autres prêtres, les augures, qui tiraient les auspices, c'est-à-dire qu'ils interprétaient l'avenir d'après le vol des oiseaux et l'appétit de leurs poulets sacrés.

Quatrième partie

Métamorphoses

Ovide

Introduction

Ovide et les « Métamorphoses »

L'auteur

Publius Ovidius Naso, plus connu sous le nom d'Ovide, est, comme Virgile (voir p. 90), un poète latin. Tous deux ont vécu au Ier siècle av. J.-C. Ils se connaissaient mais se sont peu fréquentés : Ovide, né en 43 av. J.-C., n'avait que vingt-quatre ans à la mort de Virgile. Ovide a vu le jour entre Rome et la mer Adriatique, à Sulmone « où abondent les eaux fraîches », au pied des monts Abruzzes. S'il reste attaché à sa terre natale, si les cités de la Grèce où il fit, adolescent, un long voyage, ont dû charmer son esprit curieux, c'est Rome qui le séduit le plus : les beautés et les plaisirs de la ville tiendront une grande place dans son cœur et dans sa poésie.

Le jeune homme gagne la capitale pour s'engager, sur les conseils de son père, dans une carrière politique qui ne l'enchante guère. Il y rencontre des jeunes gens épris comme lui de poésie et décide de suivre sa vocation. Ovide devient vite le poète de la haute société romaine, riche et cultivée. Les Romains aisés, qui veulent se distraire et oublier les années de sanglantes guerres civiles, aiment retrouver dans ses poèmes tout ce qu'ils apprécient : le plaisir des spectacles, la beauté des nouveaux monuments, les promenades d'été « à l'ombre du Portique de Pompée, quand le soleil vient toucher le dos du Lion d'Hercule », et la grâce de « tant et de si belles filles » (*L'Art d'aimer*, I, 67-68 et 55).

L'amour et la beauté des femmes sont d'ailleurs les sujets d'inspiration de ses deux principaux recueils : *Les Amours* et surtout *L'Art d'aimer*, un petit livre espiègle qui explique aux hommes et aux femmes comment séduire la personne de leur choix.

Désireux de paraître plus sérieux, Ovide se lance dans un immense recueil de légendes, les *Métamorphoses*, qui l'occupera jusqu'en 8. C'est alors que sa vie confortable de poète célèbre s'effondre. Sans doute parce que *L'Art d'aimer* avait déplu à l'empereur Auguste, soucieux de ramener davantage de morale et de vertu dans sa ville dissipée, mais aussi pour d'autres raisons restées mystérieuses, Ovide est banni de Rome et de l'Italie. Il est condamné à demeurer à Tomes, sur le Pont-Euxin (aujourd'hui Constantza, en Roumanie, sur la mer Noire).

Le malheureux poète se retrouve loin de sa famille, de ses amis, de ses lecteurs, dans un pays brumeux dont il déteste le climat et dont il ne parle pas la langue. Abandonnant les poèmes gais et insouciants, il écrit désormais pour exprimer sa tristesse, sa solitude, sa nostalgie de l'Italie, et pour supplier l'empereur de lui pardonner. Mais ce n'est que peine perdue. Ovide ne sera jamais rappelé à Rome. Il meurt en 17, au bout de dix ans d'exil, sans jamais avoir revu la ville qu'il avait tant aimée.

Les *Métamorphoses*

C'est vers l'an I av. J.-C. qu'Ovide se lance dans un projet plus ambitieux que les poèmes d'amour qu'il avait écrits jusque-là. Il veut rassembler et raconter en vers les histoires des dieux et des héros qui ont bercé son enfance, qu'il a lues plus tard chez les auteurs grecs, et qu'il retrouve autour de lui, représentées sur les fresques et les mosaïques décorant les belles maisons romaines.

Ovide réunit ainsi des centaines de légendes dans une œuvre colossale de plus de douze mille vers, divisée en quinze livres, qu'il appelle les *Métamorphoses*. En effet, le texte présente un monde encore inachevé où des personnages sont changés en animaux, en plantes, en fleuves, en montagnes : ce sont ces deux cent trente et un récits de métamorphoses qui ont donné son titre au livre.

Mais l'œuvre présente aussi toutes sortes d'histoires très différentes, amusantes, horribles ou poétiques. On y retrouve les combats, les tempêtes et les héros célèbres de l'épopée, comme Ulysse ou Énée, mais ceux-ci ne sont que des personnages parmi tant d'autres.

En fait, les *Métamorphoses* constituent une collection un peu hétéroclite de récits merveilleux qui s'enchaînent de façon fantaisiste, tout en observant un ordre chronologique qui va de la nuit des temps à des événements contemporains de la vie du poète, présentés comme des prodiges. L'ouvrage est une sorte de musée de la mythologie dans lequel Ovide sert de guide.

Les innombrables légendes des *Métamorphoses* ont connu à travers les siècles une grande célébrité : ainsi, en France, au XVIIe siècle, elles ont inspiré certaines fables de La Fontaine, et de nombreuses sculptures du château de Versailles.

Le début du livre I

Le livre I s'ouvre sur la plus extraordinaire des métamorphoses : celle qui transforme le chaos, « masse informe, indistincte » en un monde ordonné et harmonieux. Le récit d'Ovide n'est pas sans rappeler celui de la *Genèse*, dans la Bible (voir p. 9). En effet, bien que polythéiste, la mythologie romaine présente le créateur de l'univers comme un dieu unique, non identifié. C'est lui qui « dissocia les terres du ciel et l'eau des terres [...] ». « Il aggloméra d'abord la terre en forme d'immense disque en égalisant tous les bords. Puis il répandit les flots. Il leur a donné l'ordre de s'enfler sous le souffle des vents et d'entourer d'une ceinture les rivages de la terre. »

Ce livre raconte aussi la création de l'homme à partir d'un germe divin ou d'un mélange de terre et d'eau. Il y est présenté comme un être supérieur, « plus sacré, capable de hautes pensées, capable de régner sur les autres ».

Dans ces premiers temps de la vie appelés« l'Âge d'or » par Ovide, la terre est un paradis : les hommes ne connaissent ni la guerre ni les durs travaux ; les champs et les arbres leur offrent une nourriture abondante et des fleuves de lait ou de nectar étanchent leur soif. Mais, par leur faute, les humains perdent ce bonheur paisible. Même après le déluge (voir p. 22) le monde reste imparfait, agité de passions : la colère, la crainte, la jalousie, l'amour surtout bouleversent les hommes comme les dieux.

Texte 17
Daphné

Amoureux de la nymphe Daphné, le dieu Phébus essaie de lui parler, mais celle-ci s'enfuit...

Elle s'enfuit, plus rapide que la brise légère, sans s'arrêter à ses paroles qui la retiennent : « Nymphe du Pénée[1], je t'en prie, reste ! Je ne suis pas un ennemi qui te poursuit, reste, nymphe ! [...]

5   Ne tombe pas ! N'abîme pas tes jambes indignement aux ronces, je ne te veux pas de mal. Les endroits où tu cours sont pleins d'aspérités[2]. Je t'en prie, va moins vite, freine ta course, moi je te poursuivrai moins vite.

Regarde quand même à qui tu plais. Je ne suis pas monta-
10 gnard, ni berger, ici je ne garde pas, hirsute, des troupeaux de bœufs ni d'agneaux. [...]

Jupiter est mon père. C'est par moi que ce qui sera, ce qui fut, ce qui est se trouve révélé, par moi que les chants s'harmonisent à la lyre[3]. Ma flèche est sûre, mais plus sûre que la
15 mienne est la flèche qui a blessé mon cœur indemne[4]. J'ai inventé la médecine, par toute la terre on m'appelle le Secourable et le pouvoir des plantes m'appartient. Aucune herbe, hélas ! ne guérit l'amour et l'art qui sert à tous ne sert pas à son maître. » Il voulait en dire plus, mais la fille du Pénée
20 s'enfuit dans une course éperdue. Elle l'a laissé, avec ses discours inachevés. Elle lui parut encore plus belle : le vent déshabillait son corps et son souffle, de face, faisait flotter sa robe, une brise légère repoussait ses cheveux en arrière, la fuite la rendait plus belle.

---

1. Dieu-fleuve de Thessalie. Daphné est sa fille.   **3.** Instruments de musique à cordes.
2. Parties saillantes qui peuvent faire tomber.   **4.** Qui n'avait jamais été blessé.

25 Mais le dieu juvénile[5] alors ne supporte plus de lui dire des
    douceurs en vain et, comme l'amour l'y invitait, il la suit en
    pressant l'allure. [...] Il est contre son dos, son souffle touche
    ses cheveux dispersés sur sa nuque. À bout de forces, elle a
    blêmi et, brisée par l'effort de sa fuite précipitée, les yeux
30 tournés vers les eaux du Pénée, elle dit : « Mon père, aide-moi,
    si vraiment, vous, les fleuves, possédez un pouvoir ! Détruis
    en la changeant la beauté qui m'a fait trop plaire ! » À peine
    elle avait achevé sa prière qu'une lourde torpeur envahit tout
    son corps. Son tendre sein s'enveloppe d'une mince écorce,
35 ses cheveux poussent en frondaisons et ses bras en rameaux.
    Son pied, naguère si rapide, s'attache à des racines immobiles,
    sa tête porte une cime. Il ne lui reste plus que son éclat.

    Mais Phébus l'aime toujours. Il pose la main sur son tronc
    et il sent son cœur battre encore sous l'écorce nouvelle. Il enlace
40 les branches comme il ferait son corps, il embrasse le bois,
    mais le bois refuse ses baisers. Le dieu s'exclame : « Puisque
    tu ne peux pas être ma femme, au moins, tu seras mon arbre.
    Mes cheveux toujours te porteront, toujours ma cithare[3], ô
    laurier, toujours mon carquois. Tu accompagneras les chefs
45 latins quand les voix chanteront, dans l'allégresse[6], le triomphe
    et que le Capitole[7] verra venir les longs cortèges. Tu seras aussi
    la très fidèle gardienne des portes d'Auguste ; devant son seuil,
    tu t'élèveras et tu protégeras le chêne attaché au milieu[8].
    Comme ma tête reste juvénile sous sa chevelure intouchée[9],
50 toi aussi, porte éternellement la gloire d'un feuillage toujours
    vert. » Péan[10] avait parlé. De ses branches nouvelles, le laurier
    acquiesça, son faîte lui parut remuer comme une tête.

Extraits du livre I, 502-567.

---

5. Jeune.
6. Grande joie.
7. Colline sacrée de Rome où étaient
organisés les triomphes, c'est-à-dire
les défilés des généraux victorieux.

8. La porte de la maison d'Auguste était
ombragée de deux lauriers et surmontée
d'une couronne de feuilles de chêne.
9. Qui n'a pas été coupée.
10. Surnom d'Apollon.

Questions

Repérer et analyser

Les personnages et leurs relations

Phébus

1 Phébus, appelé aussi Apollon, est un dieu qui joue plusieurs rôles. En vous aidant du tableau des dieux, p. 54, retrouvez les fonctions du dieu qui apparaissent dans le texte.

2 Les attributs sont des objets que tiennent souvent les dieux et qui représentent leurs pouvoirs (par exemple, un des attributs de Jupiter est la foudre) : relevez quatre attributs de Phébus cités dans le texte.

Daphné

3 Relevez deux expressions qui désignent Daphné (l. 1 à 24).

4 a. Relevez trois expressions qui soulignent la beauté de Daphné.
b. La nymphe est-elle heureuse d'être belle ? Pourquoi ?

5 Lequel des quatre éléments (air, terre, eau, feu) est associé à Daphné ? Justifiez votre réponse en citant le texte.

Phébus et Daphné

6 L'amour est comparé à une blessure : relevez deux expressions qui le montrent (l. 12 à 19). Expliquez cette comparaison.

7 Quels sont les arguments du dieu pour convaincre Daphné de ne pas s'enfuir (l. 2 à 17) ?

La métamorphose (l. 32 à 52)

8 Qui poursuit Daphné ?

9 Qui provoque la métamorphose de Daphné ?

10 En quel arbre est-elle transformée ?

11 Retrouvez les étapes de la métamorphose de Daphné.
a. Que devient chacune des parties du corps de Daphné ? Citez le texte.
b. Retrouvez deux adverbes de temps qui soulignent la métamorphose de Daphné (l. 36 à 39).

12 a. Relevez tous les mots appartenant au champ lexical de l'arbre (l. 34 à 41).

b. Trouvez un synonyme du mot « frondaisons » (l. 35) et du mot « cime » (l. 37) dans les trois dernières phrases du texte.

13 L'arbre garde des caractéristiques humaines : à quoi le voit-on ? Citez le texte.

14 Que perd la nymphe dans ce changement ?

15 La transformation de Daphné est une métamorphose positive.
a. Que lui permet-elle d'éviter définitivement ?
b. Quels privilèges la nymphe obtient-elle sous cette nouvelle forme ?

S'exprimer

16 Imaginez à votre tour quelle métamorphose pourrait être à l'origine du coquelicot, du muguet, du nénuphar, de l'ortie ou de toute autre plante de votre choix.

Enquêter

17 Que signifie l'expression : « s'endormir sur ses lauriers » ? À quel niveau de langue appartient-elle ?

18 Qu'est-ce que le « baccalauréat » ? Expliquez l'origine de ce mot.

19 **a.** « Daphné », qui signifie « laurier » en grec, est devenu un prénom en français. Quel prénom vient du même mot traduit en latin (*laurus*) ?
b. D'autres prénoms viennent aussi de noms d'arbres ou de fleurs : citez-en quelques-uns.

Se documenter

La nature et les dieux

De nombreux récits des *Métamorphoses* racontent la transformation de mortels en végétaux. Il s'agit souvent d'un signe de la pitié des dieux devant un destin malheureux. Ainsi Daphné se retrouve changée en laurier, et les Héliades en peupliers (voir p. 139). Beau chasseur, Narcisse, tombé amoureux de son reflet dans l'eau sous l'effet d'une malédiction, finit par mourir de langueur près du ruisseau dont il ne

parvient plus à s'éloigner : il prend alors l'apparence de la fleur qui porte son nom.

La métamorphose d'un humain en arbre est parfois très positive : elle permet de prolonger la vie. Ainsi, Philémon et Baucis retrouvent une nouvelle vigueur en devenant des arbres (voir p. 152) et Vénus change en anémone son bien-aimé, Adonis, mortellement blessé par un sanglier, pour qu'il continue à exister sous une nouvelle forme.

Pour les Anciens, c'est la nature tout entière qui est animée d'une vie mystérieuse ; elle cache des présences invisibles qu'il ne faut pas offenser. Les nymphes, qui sont les plus célèbres, sont représentées comme de gracieuses jeunes filles qui peuplent les eaux, les bois et les prairies. Leur nom change suivant le lieu qu'elles habitent : les Néréides vivent dans l'Océan, les Naïades dans les eaux douces et jaillissantes, les Dryades dans les forêts de chênes... Mortelles, elles peuvent cependant vivre des milliers d'années et ont des pouvoirs qu'elles utilisent le plus souvent de façon bienveillante.

La terre est aussi peuplée de divinités masculines, les Satyres appelés aussi Silènes ou Faunes, représentés comme des êtres mi-hommes, mi-boucs, avec un front surmonté de cornes. Démons malicieux, ils incarnent la puissance de vie de la nature.

Les fleuves enfin, animés d'un mouvement perpétuel, source de dangers mais aussi de bienfaits par leurs crues, sont vénérés comme des dieux. On les représente barbus, souvent cornus, la tête couronnée de roseaux, le torse nu prolongé par une queue de poisson. Les fleuves ont un pouvoir de fertilité et de purification.

Les Romains et les Grecs de l'Antiquité avaient le souci de rendre toutes ces divinités bienveillantes grâce à des prières ou des offrandes appropriées.

Texte 18

Phaéthon

Phébus est aussi le dieu du Soleil. De ses amours avec la nymphe Clymène est né un fils : Phaéthon. Devant les moqueries de ses camarades qui ne veulent pas croire qu'il a un père aussi prestigieux, Phaéthon décide d'en avoir le cœur net et se rend au palais du Soleil.

Le palais du Soleil s'élançait en colonnes immenses, éclatant d'or brillant et de pyrope[1] pareil aux flammes. Un ivoire resplendissant en recouvrait le faîte. Les battants du portail irradiaient[2] des feux de l'argent. [...]

5   Phébus siégeait, revêtu d'une robe de pourpre, sur un trône aux lueurs d'éclatantes émeraudes. À sa droite et à sa gauche étaient le Jour, le Mois, l'Année, les Siècles et les Heures assises à intervalle régulier. Printemps dans sa nouveauté s'y tenait, couronné de fleurs, Été nu avec des guirlandes d'épis, et

10 Automne sali par les raisins foulés, Hiver glacial, ses cheveux blancs hirsutes.

C'est là qu'au milieu d'eux, le Soleil, de ses yeux qui voient toutes choses, aperçut le jeune homme, interdit devant ces merveilles : « Quelle est la raison de ton voyage ? Pourquoi,

15 Phaéthon, mon fils que ton père ne saurait renier, es-tu venu sur ces hauteurs ? » Il répond : « Ô lumière commune à l'univers immense, Phébus, mon père, si tu me permets d'user de ce nom et si Clymène ne cache pas une faute sous une histoire mensongère, donne-moi une preuve, auteur de mes

20 jours, qui me convainque que je suis vraiment de toi, ôte ce doute de mon cœur ! » Il avait ainsi parlé. Son père enleva

| 1. Alliage de cuivre et d'or. | 2. Rayonnaient.

les rayons qui brillaient autour de sa tête, lui dit de s'approcher et, l'ayant embrassé, lui dit : « Non, tu ne mérites pas que je te renie. Clymène t'a révélé ta véritable naissance.
25 Demande-moi, cela dissipera tes doutes, la faveur que tu veux : je te l'accorderai. » [...]

Phaéthon demande à son père la faveur de conduire son char, que des chevaux fougueux entraînent chaque jour dans le ciel, d'est en ouest. Phébus tente de dissuader son fils d'entreprendre une tâche aussi difficile, bien au-dessus des forces d'un simple mortel, puis il finit par céder. Le char s'élance. Très vite pris de vertige et incapable de maîtriser les chevaux, Phaéthon lâche les rênes.

À peine les rênes lâchées eurent-elles effleuré la croupe des chevaux qu'ils sortent de leur route et s'en vont, sans que personne les retienne, à travers l'air d'espaces inconnus. Là
30 où les entraîne leur élan, au hasard ils se ruent. Ils galopent vers les étoiles attachées sous les hauteurs de l'éther et emportent le char en des lieux inaccessibles. Tantôt ils gagnent les hauteurs, tantôt, par pentes et précipices, ils se rapprochent de la terre. La Lune s'étonne que les chevaux de son frère
35 courent plus bas que les siens[3] et les nuages, qui brûlent, fument. La terre dans ses parties les plus élevées s'embrase. Elle se fissure et puis se fend, en perdant ses humeurs[4], se dessèche. Les prés blanchissent, les arbres se consument avec leurs feuillages et les moissons séchées nourrissent le fléau
40 qui les détruit. Je déplore encore le moins grave ! De grandes villes disparaissent, avec leurs remparts, et l'incendie transforme en cendres des nations entières avec leurs peuples. [...]

---

3. La lune est la sœur du Soleil ; elle aussi
se déplace sur un char à travers le ciel.
4. Son humidité, sa sève.

Phaéthon alors aperçoit le monde de tous côtés embrasé. Il ne peut supporter une chaleur si forte, sa bouche aspire un air bouillant comme s'il montait d'une fournaise. Il sent son char devenir incandescent. Cendres et braises qui jaillissent se font intolérables, de tous côtés, il est environné de fumées chaudes. Enveloppé d'un nuage noir de poix[5], il ne sait où il va, où il est, il est enlevé au gré de ses chevaux ailés. C'est là, croit-on, que les peuples de l'Éthiopie, dont le sang était remonté, aspiré à la surface de la peau, prirent leur couleur noire. C'est là que la Libye est devenue aride, privée de ses eaux par la chaleur... [...]

Toute la surface du sol se fissure et, par les fentes, la lumière entre dans le Tartare[6] : elle terrorise le prince des Enfers et son épouse. La mer se rétracte, le large de naguère[7] est une plaine de sable sec. Les montagnes recouvertes par la haute mer surgissent et viennent s'ajouter aux Cyclades[8] éparses. Les poissons cherchent les profondeurs ; les dauphins n'osent plus s'élancer dans les airs, comme ils le font, au-dessus des eaux ; les corps de phoques, le ventre en l'air, à la surface de l'eau flottent, morts. On raconte que Nérée[9] même, Doris[9] et ses filles se réfugièrent au fond de leurs grottes réchauffées. Trois fois, Neptune avait osé sortir de l'eau ses bras et sa tête menaçante, trois fois il n'avait pu supporter l'embrasement de l'air. [...]

Mais le père tout-puissant[10] prend à témoins les dieux d'en haut et celui qui avait confié à Phaéthon son char : s'il n'y faisait rien, tout allait périr dans le fatal désastre. Il monte tout au sommet de la citadelle d'où, d'ordinaire, il recouvre de nuages l'immensité de la terre, d'où il met en branle le tonnerre, d'où il brandit et lance la foudre. Mais alors il n'a

---

5. Épais et noir comme du goudron.
6. Région des Enfers (voir p. 118 et 121).
7. L'océan qui existait auparavant.
8. Iles de la mer Égée (voir carte, p. 148).
9. Couple de divinités marines.
10. Jupiter.

pas de nuages dont il puisse couvrir la terre ni de pluies à faire tomber du ciel. Il tonne et lance contre l'aurige[11] la foudre
75 qu'il balance à droite de sa tête. Il l'a, en même temps, arraché à la vie et au char et il a réprimé les flammes par la cruelle flamme. Les chevaux s'abattent ensemble. En se cabrant, ils arrachent de leur encolure le joug, ils quittent leurs harnais brisés. Les rênes gisent ici, là l'essieu détaché du timon, ailleurs
80 encore les rayons des roues en morceaux : les débris du char en pièces sont dispersés de tous côtés au loin. Phaéthon dont la flamme dévaste les cheveux éclatants, tourbillonne, précipité. Il dessine à travers les airs une longue trajectoire, comme du ciel serein, parfois, une comète paraît être tombée, même
85 si elle ne tombe pas. Bien loin de sa patrie, à l'opposé du monde, l'immense Éridan[12] le recueille et il baigne son visage fumant.

Profondément attristé par la mort de son fils, Phébus refuse d'éclairer le monde pendant une journée. Les Héliades, sœurs de Phaéthon et filles du Soleil, pleurent leur frère au bord du fleuve jusqu'à ce qu'elles soient transformées en peupliers. Leurs larmes donnent naissance à une résine : l'ambre jaune.

Extraits du livre II, 1-324.

---

11. Conducteur de char.
12. Fleuve identifié au Pô en Italie. Phaéthon tombe bien loin de l'Éthiopie, son pays natal.

Questions

Repérer et analyser

Les personnages

Les relations entre les personnages

1 **a.** Qui sont les deux personnages principaux ?

b. Par quels mots Phaéthon désigne-t-il le dieu (l. 12 à 26) ?

c. Phébus reconnaît-il qu'il est le père de Phaéthon (l. 12 à 26) ?

Un personnage : le Soleil

2 Relevez les mots appartenant au champ lexical de la lumière (l. 1 à 6). Pourquoi sont-ils si nombreux ? Justifiez votre réponse.

3 Quelles matières précieuses ornent le palais du Soleil ?

4 **a.** Quelles sont les allégories (voir la leçon, p. 119) qui entourent le Soleil ? Quel est leur point commun (l. 6 à 11) ?

b. Quels éléments permettent d'identifier chacune des saisons ?

5 « Le Soleil, de ses yeux qui voient toutes choses » (l. 12-13) : expliquez cette expression.

La progression du récit

La course de chars et la catastrophe

6 Que demande Phaéthon à son père ? Pourquoi ?

7 **a.** Relevez les compléments de lieu de la ligne 27 à la ligne 34 : quelles indications apportent-ils sur la direction suivie par le char ?

b. Relevez les sujets des verbes (l. 27 à 34) : qui mène la course ?

8 **a.** Que signifient « fournaise » et « incandescent » (l. 45-46) ?

b. À quel champ lexical appartiennent-ils ? Trouvez dans le texte d'autres mots appartenant au même champ lexical (l. 34 à 47).

c. Quelle est la cause du gigantesque incendie ? Quelles en sont les terribles conséquences sur terre ? sur mer ?

L'intervention de Jupiter

9 Comment Jupiter éteint-il l'incendie ?

10 Qu'arrive-t-il à Phaéthon ? Expliquez la comparaison (l. 81 à 85).

11 Ce récit mythologique apporte une explication à certaines réalités géographiques et humaines. Lesquelles ?

Texte 19
Arachné

Pallas Athéna est la déesse de la raison et des activités intel-ligentes : elle aide le rusé Ulysse tout au long de son voyage (voir l'Odyssée), protège aussi les humbles artisans et se plaît à filer et à broder. Mais l'aimable déesse peut se montrer redoutable lorsque, ainsi que le fait Arachné, on ose se mesurer à elle.

Arachné n'était illustre ni par son rang ni par son lieu d'ori-gine, mais par son art. Son père, Idmon de Colophon[1], teignait des laines à la pourpre de Phocée[1]. Sa mère était morte, elle était du peuple, elle aussi, de même condition[2] que son mari.
5 Et pourtant Arachné s'était acquis à travers les villes lydiennes une renommée extraordinaire quoique, d'humble famille, elle ait habité l'humble Hypaepa[3]. Pour voir ses travaux admi-rables, les nymphes du Tmolus[4] souvent quittaient leurs vignobles, les nymphes du Pactole[5] souvent quittaient leurs
10 flots. Elles n'aimaient pas seulement regarder les tissus finis mais elles aimaient aussi les lui voir faire, tant son habileté était parfaite : à rouler d'abord en pelotes la laine grossière, à faire passer sous ses doigts son travail et assouplir le poil en flocons, pris et repris, en tirant un long fil régulier, à tourner
15 légèrement avec le pouce le fuseau rond ou encore à broder à l'aiguille – c'était évident, Pallas l'avait formée.

Mais elle le nie, et elle se vexe qu'on lui attribue un maître, même si grand :

« Qu'elle se mesure[6] à moi ! Si je suis vaincue, je me soumets
20 à tout », dit-elle.

---

1. Villes d'Asie Mineure.
2. Du même milieu social.
3. Ville de Lydie, en Asie Mineure.

4. Montagne de Lydie.
5. Fleuve de Lydie qui roule des paillettes d'or.
6. Lutter, rivaliser avec.

Alors Pallas se déguise en vieille et elle la met en garde :

« Ne méprise pas mes conseils. Conquiers la gloire d'être la meilleure à filer la laine parmi les mortelles, mais incline-toi devant la déesse et demande-lui pardon de tes paroles, en la
25 suppliant, téméraire que tu es ! Elle te pardonnera si tu le lui demandes. »

Arachné la regarde de travers et lâche le fil qu'elle a commencé, elle retient tout juste sa main. Sa colère se lit sur sa figure et elle réplique à Pallas invisible ces mots :

30 « Pauvre folle percluse[7] de vieillesse, ça ne réussit pas de vivre trop longtemps ! Ta bru[8] si tu en as une, ou ta fille n'ont qu'à t'écouter. Moi je me conseille toute seule. Ne crois pas que tu as réussi avec tes avis, je pense toujours la même chose. Pourquoi est-ce qu'elle ne vient pas elle-même ? Pourquoi est-
35 ce qu'elle évite le concours que je lui propose ? »

La déesse dit alors : « La voilà », et elle fait disparaître la vieille et reparaître Pallas. [...]

Arachné persiste dans son projet et son désir stupide de gagner l'entraîne à sa perte. Car la fille de Jupiter ne recule
40 pas, elle ne lui donne plus de conseils et accepte, sans différer[9], le concours.

Pallas et Arachné tissent chacune une toile : celle de la déesse représente les actes grandioses des dieux, celle de la jeune femme les amours et les infidélités des immortels. À la fin du concours, le travail d'Arachné est aussi parfait que celui de la déesse.

Ni Pallas ni la Jalousie[10] ne pourraient critiquer sa toile. La guerrière blonde[11] fut blessée de la réussite de la mortelle et

---

7. Impotente, qui bouge difficilement.
8. Belle-fille.
9. Remettre à plus tard.

10. Divinité malfaisante, présentée comme une femme très maigre, rongée par les désirs inassouvis et se nourrissant de vipères.
11. Pallas.

elle déchira la toile brodée avec les amours coupables des
45 dieux. Comme elle tenait encore sa navette en bois du Cytore[12],
elle en frappa Arachné plusieurs fois à la tête. La malheureuse
ne l'a pas supporté et, dans sa rage, elle s'est noué une corde
autour de la gorge. Pallas eut pitié d'elle en la voyant pendue
et allégea sa peine : « Vis, mauvaise, lui dit-elle, mais reste tout
50 de même pendue ! Et n'espère rien de l'avenir : que la même
loi s'étende en punition à ta descendance et jusqu'à tes arrière-
petits-neveux ! »

En s'éloignant, elle l'aspergea avec le suc d'une herbe
d'Hécate*. Aussitôt, au contact du produit funeste, ses cheveux
55 tombèrent, en même temps que son nez et que ses oreilles. Sa
tête rapetisse, tout son corps rétrécit. À ses flancs, au lieu de
jambes, des doigts squelettiques s'attachent. Un ventre tient
la place du reste : elle en tire du fil et, araignée, travaille ses
toiles de jadis.

Extraits du livre VI, 7-145.

Arachné transformée en toile d'araignée.

Questions

Repérer et analyser

Le narrateur

1 Précisez le statut du narrateur (voir la leçon, p. 59).

2 Relevez ligne 16 un commentaire du narrateur.

La progression du récit

La situation de départ

3 **a.** Quel est l'art d'Arachné ? Relevez les noms qui désignent les instruments et la matière qu'elle utilise.

b. Arachné est d'origine modeste : relevez les expressions qui le montrent (l. 1 à 16).

c. La jeune fille est déjà célèbre : à quoi le voit-on ?

4 À partir de quelle ligne l'action commence-t-elle ? Appuyez-vous sur les changements de temps.

La métamorphose de Pallas (l. 21 à 41)

5 **a.** Quel aspect a pris la déesse ? Pourquoi ?

b. Expliquez l'expression « Pallas invisible » (l. 29).

6 Quels conseils Pallas déguisée donne-t-elle à Arachné ?

Le concours (l. 17 à 20 ; l. 34 à 48)

7 Qui a désiré que le concours soit organisé ? Pourquoi ?

8 Pallas est-elle bonne joueuse ? Justifiez votre réponse.

9 **a.** Comment réagit Arachné à la violence de la déesse ?

b. Comment s'explique sa réaction ?

La métamorphose d'Arachné (l. 48 à 59)

10 Qu'utilise Pallas pour changer l'apparence d'Arachné ?

11 En quel animal choisit-elle de la transformer ? Pour quelle double raison ?

Les personnages et leurs relations

12 Relevez les mots ou groupes de mots qui désignent Pallas (l. 36 à 41).

13 **a.** « Elle se vexe qu'on lui attribue un maître » (l. 17) ; « Moi, je me conseille toute seule » (l. 32) ; « Je pense toujours la même chose » (l. 33). Quels traits de caractère d'Arachné ces phrases traduisent-elles ?

b. Comment qualifieriez-vous l'attitude d'Arachné envers la vieille femme ? Cette attitude est-elle blâmable ?

c. La jeune fille se conduit de façon « téméraire » (l. 25) et « stupide » (l. 38). Pourquoi ?

14 Pour quelle faute Arachné est-elle punie en fin de compte ?

S'exprimer

15 Vous vous retrouvez, pour une journée, métamorphosé(e) en insecte. Précisez lequel et racontez ce que vous faites et ce qui vous arrive (pensez en particulier aux dangers créés par votre petite taille).

Créer

16 Racontez l'histoire d'Arachné sous forme de bande dessinée. Faites parler les personnages avec les expressions du texte.

Se documenter

Les animaux des *Métamorphoses*

Ovide rapporte de nombreuses légendes où l'on voit des mortels transformés en animaux pour les punir d'une faute commise envers un dieu. Les mobiles des immortels sont variés.

– *La vengeance :* la déesse Latone, par exemple, se venge sans pitié des paysans lyciens. Ceux-ci lui avaient interdit d'approcher d'un étang alors que, épuisée par une longue route et mourant de soif, elle s'apprêtait à boire. Non seulement ils ne cédèrent pas aux supplications de la déesse, mais ils l'insultèrent et troublèrent l'eau de l'étang pour la rendre imbuvable. Devant tant de dureté et de sottise, Latone les transforma en grenouilles.

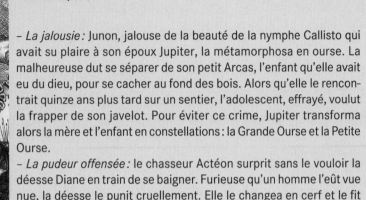

– *La jalousie :* Junon, jalouse de la beauté de la nymphe Callisto qui avait su plaire à son époux Jupiter, la métamorphosa en ourse. La malheureuse dut se séparer de son petit Arcas, l'enfant qu'elle avait eu du dieu, pour se cacher au fond des bois. Alors qu'elle le rencontrait quinze ans plus tard sur un sentier, l'adolescent, effrayé, voulut la frapper de son javelot. Pour éviter ce crime, Jupiter transforma alors la mère et l'enfant en constellations : la Grande Ourse et la Petite Ourse.

– *La pudeur offensée :* le chasseur Actéon surprit sans le vouloir la déesse Diane en train de se baigner. Furieuse qu'un homme l'eût vue nue, la déesse le punit cruellement. Elle le changea en cerf et le fit dévorer par sa propre meute de chiens.

– *La susceptibilité :* Apollon le dieu des arts, courroucé contre le roi Midas, ne le transforma pas totalement en animal, mais il rendit son apparence ridicule. Alors qu'un concours de musique opposait Apollon à Pan, le dieu des bois, et que, de l'avis de tous, la lyre d'Apollon l'emportait sur la flûte de Pan, Midas eut l'audace de prétendre le contraire. Furieux, le dieu victorieux affligea le roi d'une paire d'oreilles d'âne, pour lui apprendre à mieux écouter. Midas parvint d'abord à cacher sa difformité : seul son coiffeur était au courant. Mais celui-ci, pour se soulager un peu de ce si lourd secret, creusa un jour un trou dans la terre, cria dedans : « Le roi Midas a des oreilles d'âne ! » et le reboucha aussitôt. Or, des roseaux qui poussaient à cet endroit, répétèrent cette phrase, en bruissant dans le vent : bientôt, tout le royaume connut le ridicule du souverain.

Texte 20
Dédale et Icare

Dédale est un inventeur athénien de génie. Retenu prison-
nier par le roi de Crète Minos, Dédale, aidé de son fils Icare,
imagine un moyen de s'enfuir en volant, à la manière des
oiseaux.

Écœuré de la Crète[1], de l'exil qui s'éternisait, nostalgique de
son pays natal, Dédale était retenu prisonnier par la mer :
« Minos a beau me couper les routes de la terre et la route
des mers, le ciel me reste ouvert. Nous partirons par là. Il
5   possède tout, pas les airs. » Ainsi dit-il et il se met à imaginer
des techniques inconnues, à réinventer la nature. Il place côte
à côte des plumes, régulièrement. Il commence par une petite,
suivie d'une plus courte, comme si elles avaient poussé en biais,
de la même manière que les chalumeaux[2] de la flûte cham-
10   pêtre croissent graduellement. Puis il les attache, au milieu
avec du tissu, au bout avec de la cire ; et quand il les a arran-
gées comme ça, il les courbe légèrement pour imiter les vrais
oiseaux. Son fils, Icare, était à ses côtés et sans savoir qu'il
maniait l'instrument de sa perte, rayonnant, il attrapait les
15   plumes que la brise avait dispersées, ou bien, avec le pouce,
il pétrissait la cire orange et ses jeux dérangeaient le travail
merveilleux de son père.
      Quand l'artiste a mis la dernière main à son œuvre, il équi-
libre son poids sur ses deux ailes et il se suspend dans les airs
20   qu'il agite. Il explique encore à son fils : « Je te conseille, Icare,
-    de filer au milieu : il ne faut pas que l'eau alourdisse tes plumes
si tu vas trop bas, ou que le feu les roussisse si c'est trop haut.

---

1. Île de la mer Méditerranée, au sud   2. Tuyaux de roseau. La flûte est composée
de la Grèce (voir la carte p. 148).   de tuyaux rangés du plus petit au plus grand.

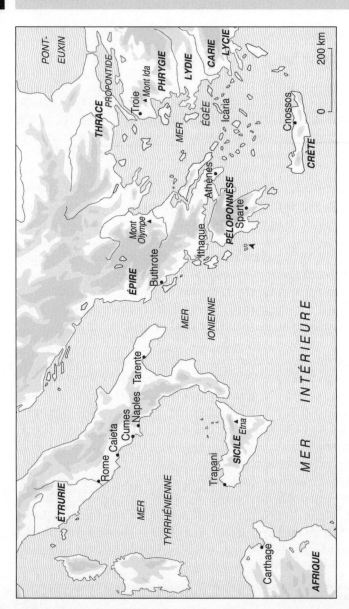

Vole entre les deux. Je ne veux pas que tu regardes le Bouvier[3],
l'Hélice[3] ou l'épée dégainée d'Orion[3]. Avance en me suivant. »
25 En même temps qu'il lui donne ces règles de vol, il adapte à
ses épaules les ailes nouvelles. Au long de son travail, au long
de ses conseils, ses vieilles joues se mouillent de larmes. Ses
mains de père tremblent. Pour la dernière fois, il embrasse son
fils et il prend son essor. Il vole en avant, inquiet pour son
30 compagnon comme l'oiseau qui emmène ses doux petits de
leur nid dans les airs. Il l'encourage à le suivre, il lui apprend
un art funeste[4]. Il remue les ailes et regarde en arrière celles
de son fils.

   Un pêcheur, à l'instant où sa gaule vibrait pour saisir un
35 poisson, un berger appuyé sur sa canne, un laboureur sur le
manche de sa charrue, ébahis, les ont vus. Comme ils savaient
fendre les airs, ils ont cru que c'étaient des dieux. Et déjà ils
avaient à leur gauche Samos[5], l'île de Junon, ils avaient dépassé
et Délios[5] et Paros[5], à droite, et Lébynthos[5], et Calymne[5] où
40 le miel coule, quand l'enfant se mit à jouer à voler hardiment.
Il a quitté son guide et il s'est envolé plus haut, attiré par le ciel.
La proximité du soleil dévorant amollit la cire odorante qui
fixe les plumes. La cire s'est désagrégée[6]. Il agite ses bras nus :
dépouillé de ses rames, il n'a plus de prise sur l'air.

45   Sa bouche criait encore le nom de son père, quand Icare but
l'eau bleue qui prit son nom[7]. Et le malheureux père, – il n'est
plus père, crie : « Icare ? Où es-tu, Icare ? Dans quelle région
du ciel faut-il que je te cherche ? » Il disait : « Icare ! », et il
voit des plumes sur l'eau. Alors il maudit son art et il enterre
50 le corps. La terre porte le nom[7] du fils qui y est enseveli.

Extrait du livre VIII, 183-235.

---

3. Noms de constellations.
4. Qui cause la mort.
5. Îles de la mer Égée.
6. A fondu.

7. La partie de la mer où tombe Icare
s'appellera la mer Icarienne et l'île où
il est enterré portera le nom d'Icaria.

Questions

Repérer et analyser

Le narrateur

1 Quel est le statut du narrateur ?

2 Relevez dans les lignes 10 à 33 trois expressions par lesquelles le narrateur annonce la fin tragique d'Icare.

La progression du récit

3 Que fabrique Dédale ? Avec quels matériaux ? Quel modèle utilise-t-il ?

4 **a.** Retrouvez l'enchaînement des événements en reliant les phrases par une flèche, qui ira de la cause vers la conséquence.

Les plumes se décollent •   • Icare est trop près du soleil
La cire fond •   • Icare se noie
  • Icare tombe dans la mer

b. Recherchez dans le texte (l. 42 à 46) l'expression qui correspond à chacune de ces phrases et recopiez-la.

Les personnages

Icare

5 À quoi voit-on qu'Icare est un enfant (l. 1 à 17) ?

6 Quel conseil Icare n'a pas écouté ? Recopiez l'avertissement de son père et la phrase qui montre sa désobéissance.

Dédale

7 Dédale est « nostalgique de son pays natal » (l. 1-2). Expliquez cette expression.

8 Quel mot désigne Dédale au début du deuxième paragraphe ?

9 De quelles qualités fait preuve Dédale dans son travail ?

10 « Réinventer la nature » (l. 6). Comment comprenez-vous cette expression ?

11 **a.** Relevez des expressions qui montrent l'émotion du père avant le départ ? Quel adjectif explique son attitude (l. 18 à 33) ?

b. Par quelle comparaison l'auteur souligne-t-il l'attention que porte le père à son fils (l. 18 à 33) ?

Le tragique

12 **a.** Quel verbe est utilisé deux fois au début du dernier paragraphe ? Quel sentiment exprime-t-il la première fois ? et ensuite ?
b. Relisez les lignes 47 et 48 : identifiez le type de phrases utilisé et relevez les répétitions. Quel est l'effet produit ?
c. Dédale « maudit son art » (l. 49). Pourquoi ?

La visée

13 **a.** Quel sentiment le lecteur éprouve-t-il à la lecture de ce récit ?
b. Quelle leçon de morale s'en dégage ?

S'exprimer

14 Vous inventez une machine extraordinaire. Racontez sa fabrication, puis l'utilisation que vous en faites en n'oubliant pas de préciser si elle vous conduit à un succès ou à une catastrophe.

Enquêter

15 Aujourd'hui le mot « dédale » est un nom commun. Que signifie-t-il ? Employez-le dans une phrase.
16 Les hommes ont inventé de nombreux appareils pour voler. Renseignez-vous sur les inventions marquantes, les dates importantes et les noms célèbres de cette conquête du ciel. Présentez les résultats de votre recherche sous forme d'exposé.

Texte 21

Philémon et Baucis

Pour plaire aux dieux, les hommes ne doivent pas remettre en cause l'ordre du monde ni leur condition de mortels ; ils doivent accepter leur sort sans révolte. Mais il leur faut aussi se montrer vertueux.

Les dieux Jupiter et Mercure voyagent sur terre, sous l'apparence de simples voyageurs. Pour tester le cœur des hommes, ils demandent l'hospitalité.

Ils entrèrent dans mille maisons pour demander gîte et repos. Dans mille maisons les verrous se fermèrent. Une pourtant les accueillit, petite, couverte de chaume[1] et de roseaux des marécages. Mais, dans cette cabane, la vieille et pieuse Baucis et

5   Philémon, qui avait le même âge, s'étaient unis au temps de leur jeunesse, ils y avaient vieilli, supportant leur pauvreté en l'admettant et en n'y voyant pas une injustice. Là, pas besoin de chercher ni maîtres ni esclaves : ils sont à eux deux toute la maisonnée, ils exécutent les ordres et ils les donnent.

10   Ainsi donc, lorsque les habitants du ciel arrivèrent dans leurs pauvres pénates, quand ils furent passés en baissant la tête sous la porte basse, le vieux les invita à se reposer en approchant un siège. Baucis, empressée, y posa un tissu grossier et elle écarta les cendres tièdes du foyer : elle ranime

15   le feu de la veille, elle l'alimente avec des feuilles et de l'écorce sèche ; de son vieux souffle, elle fait jaillir les flammes, elle rapporte dans la maison des bûches toutes fendues et des ramilles[2] séchées, elle les casse en menus morceaux et les met sous son pauvre chaudron. Aux légumes, la récolte de son

| 1. Paille. | 2. Petites branches.

20 mari dans le jardin bien arrosé, elle coupe les feuilles. Elle
décroche avec sa fourche à deux dents l'échine[3] fumée pendue
à une poutre noircie. Elle tranche un petit morceau de cette
échine longtemps gardée, qu'elle ramollit dans l'eau bouil-
lante. [...]

25   La vieille, retroussée[4], tremblante, apporte une table. Mais
le troisième pied de cette table n'était pas aussi long que les
autres : un tesson[5] de poterie l'allongea. Le tesson placé et l'in-
clinaison compensée, elle nettoya la table mise en équilibre
avec des menthes vertes. Des baies de la pure Minerve[6], de
30 deux couleurs, des cornouilles[7] d'automne gardées dans leur
liquide de macération, des endives, des raiforts[8] et une boule
de lait caillé, des œufs doucement tournés et retournés dans
la cendre tiédie y sont déposés, tout cela dans de la vaisselle
de terre. Vient après un cratère[9] ciselé du même argent avec
35 des coupes de hêtre, aux renflements frottés de cire jaune. Et
sans tarder, de l'âtre arrivent les plats chauds, et puis sont
remportés des vins qui ne sont pas bien vieux. Sur le côté, ils
laissent la place au second service. Ce sont des noix, des figues
mélangées à des dattes fripées, des prunes et des pommes
40 odorantes dans de grandes corbeilles, et des grappes de raisin
cueillies sur les vignes rouges. Au milieu, un rayon de miel
brille. Et, par dessus tout, il y avait des physionomies bienveillantes, un zèle sans paresse et sans économie.

    Sur ces entrefaites, ils voient le cratère tant de fois vidé se
45 remplir de lui-même et le vin remonter tout seul. Saisis par
le prodige, ils sont terrorisés. Les mains au ciel, Baucis et
Philémon font avec révérence[10] des prières, ils demandent

---

3. Morceau de porc.
4. Baucis a relevé le bas de sa robe pour
être plus à l'aise.
5. Morceau de verre ou de poterie.
6. Les olives ; l'olivier est l'arbre de
Minerve.

7. Fruits rouges et acides, que l'on cueille
en automne.
8. Racines comestibles, un peu
piquantes, qu'on mange en hors-d'œuvre.
9. Grand vase à vin (voir p. 99).
10. Avec grand respect.

pardon pour les mets et pour leur absence d'apprêts[11]. Ils
avaient une seule oie, la gardienne de leur minuscule domaine.
50 Ses maîtres se préparaient à la sacrifier pour les dieux leurs
hôtes, mais l'oie, rapide, épuise en s'envolant la lenteur de
leur âge. Longtemps elle leur échappe et enfin elle se réfugie
ostensiblement[12] auprès des dieux eux-mêmes. Ces hautes
divinités leur défendent de la tuer. « Nous sommes des dieux
55 et vos voisins impies auront le châtiment qu'ils méritent,
dirent-ils, mais à vous il sera donné d'échapper à leurs maux.
Quittez simplement votre toit et accompagnez-nous, en nous
suivant en haut de la montagne. » Tous les deux obéissent
et, appuyés sur leurs bâtons, gravissent avec effort la longue
60 pente.

Ils n'étaient plus qu'à une portée de flèche du sommet : tournant les yeux, ils aperçoivent tout englouti dans le marais,
leur maison seule encore debout, et tandis qu'ils s'étonnent
et qu'ils pleurent le sort des leurs, leur vieille cabane, trop
65 petite même pour ses deux maîtres, se transforme en un
temple. Des colonnes ont pris la place des étais[13], la couver-
ture blondit et le toit apparaît doré, la porte est ciselée, le
sol couvert de marbre. Alors le fils de Saturne[14], d'une voix
apaisante, leur dit : « Dites-nous, ô juste vieillard, et toi, femme
70 digne de ce juste mari, que souhaitez-vous ? » Après avoir
brièvement parlé avec Baucis, Philémon fait connaître leur
idée commune à ces hautes divinités : « Nous demandons
d'être vos prêtres, de garder votre sanctuaire et, puisque nous
avons vécu en harmonie, que le même instant nous emporte,
75 que je ne voie pas le bûcher de mon épouse[15], qu'elle n'ait pas
à me mettre en terre. »

---

11. La cuisine préparée par Baucis est
simple, sans recherche.
12. Visiblement, sans se cacher.
13. Pièces de bois qui soutiennent
la charpente.

14. Jupiter.
15. L'incinération existait aussi dans
l'Antiquité. Philémon veut simplement
dire qu'il ne voudrait pas assister à
la mort de sa femme.

Et leurs vœux fidèlement s'accomplirent : tant qu'ils vécurent, ils furent les gardiens du temple. Recrus[16] d'années et de vieillesse, ils étaient debout d'aventure devant les degrés sacrés, racontant l'histoire du lieu, lorsque Baucis vit en feuillage Philémon, et le vieux Philémon, sa Baucis en feuillage. Et pendant qu'un faîte poussait au-dessus de leurs deux figures, aussi longtemps qu'ils purent, ils se parlèrent. Au moment même où ils disaient : « Adieu, mon mari, ma femme », au même moment, de l'arbre recouvrit et cacha leurs visages. Aujourd'hui encore, l'habitant du pays de Thynos[17] montre les troncs voisins qui étaient leurs deux corps.

Extraits du livre VIII, 628-720.

Philémon
et Baucis.

| 16. Épuisés. | 17. Ville d'Asie Mineure.

Questions

Repérer et analyser

Les personnages

1 Quel lien unit Philémon et Baucis ?

2 Philémon et Baucis sont âgés : relisez tout le texte et relevez les expressions qui le montrent.

3 Les deux personnages sont-ils riches ? À quoi le voit-on ? Citez le texte (l. 1 à 19).

La progression de l'action

La situation de départ

4 **a.** Quelle est la situation de départ ? Aidez-vous du hors-texte.

b. Relevez l'expression qui marque un tournant dans l'action.

Le repas

5 Philémon et Baucis se soucient du confort de leurs hôtes (l. 10 à 16 ; l. 25 à 29). Montrez-le en citant le texte.

6 Retrouvez le menu proposé aux dieux en relevant les entrées, les plats et les desserts.

7 **a.** De quoi se compose essentiellement le repas ?

b. Quel aliment est pratiquement absent ? Pourquoi ?

8 « Des vins qui ne sont pas bien vieux » (l. 37) : qu'apporte cette précision ?

9 **a.** En quelles matières sont fabriqués les récipients utilisés ?

b. Un cratère « du même argent » (l. 34) : comment comprenez-vous cette expression ?

La métamorphose

10 Par quelle action extraordinaire les dieux révèlent-ils qui ils sont ?

11 Philémon et Baucis comprennent que leurs hôtes sont des dieux. Quelle est leur réaction ?

12 Quel est le souhait des deux personnages à la fin du texte ? En quoi ce souhait traduit-il le sentiment qu'ils éprouvent l'un pour l'autre ? Quel est l'effet produit sur le lecteur ?

13 Quelle deuxième métamorphose s'opère ? Est-ce une punition ?

Étudier la langue

14 Que signifie l'expression « demander gîte » (l. 1) ?

15 Philémon et Baucis accueillent les dieux dans leurs « pénates » (l. 11). Que signifie le mot « pénates » ? Quelle est son origine (voir p. 99) ?

16 **a.** Cherchez dans un dictionnaire les deux sens du mot « hôte ».

b. Quelle signification a-t-il à la ligne 51 ?

c. Ce mot vient du latin *hospes*. Trouvez des mots de la même famille, construits sur le radical hôte- ou sur le radical hosp-.

Se documenter

L'hospitalité

Les récits de l'Antiquité présentent l'hospitalité comme une vertu sacrée. Tout homme devait la respecter. Il était de règle d'ouvrir sa maison à l'étranger de passage, de le nourrir et de l'héberger avant même de lui demander son nom, sa condition sociale, son origine ou les raisons de son voyage.

On voit ainsi, dans l'*Odyssée*, le roi Alkinoos accueillir avec une grande générosité cet inconnu qu'est alors Ulysse. Selon les rites, il l'invite à sa table, organise pour lui des divertissements et veille à ce que nul ne lui manque de respect. Au contraire, le Cyclope Polyphème bafoue les règles de l'hospitalité : il sera sévèrement puni.

Le récit d'Ovide montre comment, malgré leur pauvreté, Philémon et Baucis honorent leurs hôtes du mieux qu'ils peuvent alors que leurs voisins, par leur méfiance et leur avarice, offensent les dieux. En effet, les Anciens considéraient que c'était Zeus (ou Jupiter), surnommé alors l'Hospitalier, qui conduisait les pas des étrangers et des mendiants et qui veillait au respect du devoir d'hospitalité.

Lexique des textes de l'Antiquité grecque et romaine

Achéens. Autre nom des Grecs, dans l'*Iliade* et l'*Odyssée*.

Aède. Dans la Grèce antique, poète qui récitait ou chantait ses œuvres devant un auditoire.

Cupidon (ou Éros). Dieu de l'amour, il est représenté comme un enfant ailé qui frappe les cœurs de ses flèches.

Furies. Divinités monstrueuses du monde souterrain.

Gorgones. Trois êtres monstrueux à la chevelure de serpents, dont le regard changeait en pierre. La plus célèbre, Méduse, fut tuée par le héros Persée et sa tête fut placée sur le bouclier de la déesse Athéna.

Hécate. Déesse des enchantements et de la sorcellerie.

Héros. On a d'abord appelé ainsi un homme dont le père (ou la mère) était d'origine divine, tel Énée, le fils de la déesse Vénus et d'Anchise, un simple mortel. Par la suite, ce nom a été donné à tout homme aux qualités et au destin exceptionnels, comme Ulysse, par exemple.

Jugement de Pâris. Pâris (voir Pâris) fut choisi comme juge dans un concours de beauté qui opposait trois déesses : Athéna, Héra et Aphrodite. Chacune essaya de l'influencer en lui offrant un merveilleux cadeau : Athéna, la gloire et la victoire au combat, Héra, l'empire de l'Asie et Aphrodite, l'amour de la plus belle des femmes, Hélène de Sparte. Pâris choisit Aphrodite et lui remit le prix du concours : une pomme d'or.

Mortels. Nom donné aux hommes, par opposition aux Immortels que sont les dieux.

Mythe. Histoire fabuleuse qui met en scène des dieux ou des êtres merveilleux et qui apporte une explication aux mystères du monde et de la condition humaine.

Mythologie. Ensemble des mythes concernant un peuple, une civilisation.

Nymphes. Divinités inférieures, sortes de fées liées au monde de la nature.

Olympe. Montagne de Grèce considérée comme le séjour des dieux (voir carte, p. 148).

Pâris. Fils de Priam et d'Hécube, le roi et la reine de Troie ; il enleva à son mari la belle princesse grecque, Hélène de Sparte, dont il avait gagné l'amour (voir Jugement de Pâris). Il fut ainsi responsable de la guerre qui opposa les Grecs et les Troyens, au cours de laquelle il trouva lui-même la mort et qui s'acheva par la ruine de Troie.

Parque. Divinité chargée de filer, de dérouler et de trancher le fil de la vie humaine. Les Parques sont trois sœurs : Clotho, Atropos, Lachésis.

Priam. Roi de Troie, époux d'Hécube. Priam est tué lors du saccage de sa ville par les Grecs.

Index des rubriques

Table des illustrations

Cartographie : Corrédoc, Laurent Blondel
Schéma : Graphismes, Patrick Hervet
Iconographie : Hatier Illustration
Principe de maquette : Mecano-Laurent Batard
Mise en page : Alinéa

Achevé d'imprimer par Hérissey/Qualibris à Évreux (Eure) - N° 117686
Dépôt légal : 93643-2/03 décembre 2011